Noir destin
que le mien

MASSOUD AL-RACHID

NOIR DESTIN
QUE LE MIEN

*Ouvrage de philosophie et d'agrément offert à
Sa Grandeur le roi Nguyen le Premier par le Conseiller
et philosophe Moktar Benabes dans le but de délasser,
distraire et édifier Sa Seigneurie le prince Actouf,
son fils bien-aimé*

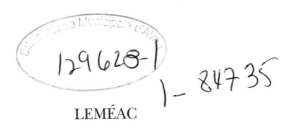
LEMÉAC

Leméac Éditeur remercie le ministère du Patrimoine canadien, le Conseil des arts du Canada, la Société de développement des entreprises culturelles du Québec (SODEC) et le Programme de crédit d'impôt du Gouvernement du Québec (Gestion SODEC) du soutien accordé à son programme de publication.

ISBN 2-7609-3273-7

4609, rue d'Iberville, 3ᵉ étage, Montréal (Québec) H2H 2L9
Dépôt légal – Bibliothèque nationale du Québec
3ᵉ trimestre 2005

Imprimé au Canada

Très Chère et Très Haute Majesté,
Vénéré roi Nguyen le Premier

Homme de lettres et ancien ambassadeur de Sinoturquie sous le règne de Harrar le Tyran, je me permets aujourd'hui d'offrir en gage de reconnaissance et de respect à Sa Nouvelle et Légitime Majesté ce petit ouvrage de fiction de mon cru, écrit pour le délassement et l'édification de son fils le bien-aimé prince Actouf qui vient d'atteindre, dit-on, l'âge d'apprendre les choses de l'État, ouvrage dans lequel j'ai mis sous la forme satirique toutes les connaissances sur l'âme humaine et les mouvements du monde que ma longue vie m'a permis d'accumuler.

Reconnaître l'ennemi et savoir le mesurer, voilà tout l'art du gouvernement, surtout si l'ennemi est soi-même ! Et les dangers de la vanité, de l'orgueil et de la cupidité sont pires que mille armées. Puisse ce petit conte éviter au prince la lourdeur des enseignements trop académiques tout en le préparant à approcher les affaires tortueuses avec intelligence. Afin de parfaire le subterfuge, j'ai utilisé un pseudonyme et fait poser quelque étranger dans le besoin pour personnifier l'auteur. Le roi, dont le sens de l'humour est proverbial, appréciera la photo et le costume de notre auteur fictif, et le choix du sujet.

Dans le cas où ce présent aurait plu au roi, pourrait-il m'offrir quelque nouvelle fonction ? Les remaniements récents dans les nouveaux ministères m'ont dernièrement laissé sans emploi, à la mort de Harrar, le chien galeux. Qu'il grésille en enfer !

Il me ferait immense honneur d'être accueilli dans le cercle de Sa Très Haute Majesté, que je n'aurai de cesse de servir avec fidélité, dans la mesure de mes minuscules lumières.

Que l'oubli ensevelisse Harrar l'Assassin !
Longue vie au Libérateur !

MOKTAR BENABES
Cité des Lumières

Première partie

LE MONDE

Ah ! lecteur, moi Massoud al-Rachid, si j'écris aujourd'hui mes mémoires surprenants, c'est non pas pour me vanter mais bien pour te mettre en garde contre un destin dont personne ne voudrait : le mien.

Est-ce parce que je viens d'une famille noble et aisée que je développai depuis si jeune l'ennui, le cynisme qui allait me dévoiler définitivement et sans aucun doute aussi ma nature putride ? Est-ce par désœuvrement que je me mis à trouver l'humanité si maussade ? Est-ce par une exquise sensibilité ou par un égotisme hors du commun que je me mis à souffrir ? Et ma souffrance, était-elle noblesse d'âme ou simple caprice d'enfant gâté ? Suis-je pire que les autres ?

Je suis un homme né chanceux. Quand ce voyage a commencé, j'avais trente-cinq ans, mais combien je me faisais suer, déjà ! Au travail, je m'endormais fréquemment sur la table des plans, et pourtant Dieu sait que cet emploi n'était pas pire que les autres : au contraire. À la maison aussi, malgré la chance que j'avais d'avoir épousé une femme belle, autonome, intelligente et mature, je m'ennuyais. Manquais-je de respect ? Je ne réagissais même plus pendant les discussions les plus légitimes sur notre relation, je me déconcentrais pendant les menaces de départ les plus sincères, j'oubliais même les raisons des différends les plus récents, qu'il fallait me réexpliquer pour en venir à bout. Mes amis aussi fatiguaient : je faisais continuellement des blagues, incapable de discuter de choses sérieuses. Manquais-je de profondeur ? On m'accusa de cynisme. « Je ne sais pas ce que j'ai ! Je ne sais pas ! Je ne fais pas exprès », criai-je un jour dans un café avant de me précipiter dehors sans explication.

Il fallait qu'il arrive quelque chose. Moi, Massoud al-Rachid, je deviendrais un être désagréable, si cela continuait. Mais que faire ? Je marchais, zigzaguant au hasard, ne sachant plus que choisir entre me cacher sur les boulevards animés, ou me retrouver seul à marmonner honteusement dans les ruelles sombres, quand je l'aperçus enfin dans sa vitrine luxueuse, au milieu des chemises de soie. J'entrai : comme il était beau ! Le lecteur sait combien il est difficile de trouver un trois-pièces alliant la qualité à la sobriété, sans tomber dans l'affectation ou la pompe ! Mais celui-là ! Le tissu gris perle, magnifique, lançait discrètement de légers reflets moirés, mais sans aucun tape-à-l'œil. Le col était net et bien dessiné, les poches quasi imperceptibles, merveilleusement intégrées dans leur ajustement à la coupe générale, élancée mais sans maniérisme. Seyant, le veston affinait ma taille, élargissant légèrement mes épaules sans excès. Le pantalon me laissait libre et à l'aise, soulignant élégamment mes mouvements par ses plis enlevés, tandis qu'au-dessus de l'ouvrage mon visage trouvait enfin son éclat, révélé par le tissu discrètement irisé.

J'étais beau comme un ambassadeur d'Italie. Était-ce cela ? Je n'en doutais plus. Moi, Massoud al-Rachid, j'avais toujours été un voyageur de vocation, et cet habit judicieux venait à point, au terme d'une longue gestation : je pouvais à présent partir sans craindre de passer pour un vagabond, ou pour l'un de ces immondes voyageurs en culottes kaki et chaussés d'immenses sandales sales qui encombrent l'univers de « oh ! » et de « ah ! » impolis à chaque coin de rue.

Je sortis du magasin dans l'habit somptueux. Comme je me trouvais beau, tandis que je me regardais dans les vitrines, mince et élégant ! J'avais quelques économies. Les cheveux frais coupés, j'annonçai à ma femme Rhéra, Dieu ait son âme, que je partais de suite m'instruire. Elle cria de joie et se précipita même pour faire mes valises. Ah ! Rhéra ! Après l'avoir embrassée pour toujours sur le perron sans me rendre compte qu'elle ne pleurait peut-être pas de peine, je passai chez mon comptable pour expédier les formalités nécessaires, puis me rendis à la gare. Là, je décidai d'aller vers le nord-ouest. Le prochain train pour le Kunderkrupt partait dans quelques heures. Allons ! J'achetai un billet et me préparai intérieurement au départ.

En attendant au café, je remarquai qu'on observait mon allure : sans paraître trop habillé, j'avais la classe et le goût des messagers culturels importants. Je pensais avec excitation qu'un jour jaillirait de mes mémoires et paroles une sagesse pénétrante.

CHAPITRE PREMIER

Où le héros découvre le pays du calme réfléchi
et de la révolution la mieux maîtrisée de l'univers

Le train entra en gare. J'embarquai. Nous roulâmes pendant quelques heures, avant d'atteindre le Kunderkrupt, vaste étendue verte. Comment décrire cette contrée tranquille et sereine, toujours en quête de vérité ? Le poète national Francys a écrit ces quelques lignes qui vous diront mieux que moi l'âme de ce pays de grands espaces :

Paissent les vaches au Kunderkrupt,
paisibles et honnêtes,
fournissant fromage, lait
et contre-filet
à la Terre entière,
en fait le tiers.

Fier Kunderkrupt,
aux soucis imperméable,
ton économie,
modérée et stable,
n'a pour ennemis
que les autres étables.

« Le Kunderkrupt, voilà effectivement un pays particulier », me dis-je en débarquant dans la capitale. Je décidai de m'installer au centre-ville, dans un petit meublé. Afin de comprendre plus en profondeur cette paix singulière, tout le jour, je marchai dans les rues les plus banales, m'assis sur les bancs les plus anonymes, pour regarder les habitants et essayer de saisir leur sens. Accueillir la nouveauté et la différence, voilà un défi colossal : saurais-je rester ouvert ? Je m'appliquai.

Le Kunderkrupt était divisé en deux peuples, les Klups et les Krupts, qui s'entendaient plutôt mal, au point où de nombreux Klups en étaient à revendiquer l'indépendance. Car l'immense Kunderkrupt n'avait-il pas jadis tout d'abord appartenu exclusivement et tout entier aux Klups qui en étaient les premiers et légitimes propriétaires, après avoir soumis les Ingres dégénérés et cruels ?

Tout allait bien donc et les Klups vivaient heureux sur leurs terres quand soudain les envahirent les Krupts belliqueux et fiers, qui venaient de mater les Ingres du sud, après s'être entraînés sur les gens de couleur. Inférieurs en nombre, moins tactiques et sous-équipés, les Klups perdirent lamentablement la bataille et le Kunderklups devint le Kunderkrupt.

Deux cents ans plus tard, un reste de rancune perdurait encore. Fâchés d'être obligés d'apprendre la langue du conquérant, traitement normalement destiné aux peuples inférieurs, de nombreux Klups exigeaient la redivision du Kunderkontinent et rêvaient d'un État Klups indépendant, avec son drapeau, son hymne, sa monnaie, son impôt et surtout une véritable frontière. Malgré tout, le pays resta toujours résolument soudé : un changement est-il jamais sûr ?

Est-ce à dire que les révolutionnaires n'étaient pas énergiques ? Bien au contraire : un jour je remarquai un superbe pavillon pourvu de deux ailes distinctes, l'une verte et l'autre vermillon, chacune munie de portes d'entrées magnifiques. Au-dessus de la première porte était la devise suivante : « Bonne révolution commence par sondage d'opinion », tandis qu'au-dessus de la seconde on pouvait lire : « Changer d'étable : est-ce profitable ? »

Un passant m'expliqua : « Voici le centre d'études et de recherches sur le projet de séparation du pays. Là sont affairés d'un côté les intellectuels séparatistes Klups, de l'autre leurs détracteurs. Car au Kunderkrupt, l'étude de la révolution est à présent un travail respecté, et valorisé. Ici, les gouvernements allouent des budgets annuels consistants aux études de faisabilité et d'infaisabilité de la révolte, donnant lieu à des ouvrages philosophiques réputés de par le monde, qui sont la gloire littéraire et intellectuelle du Kunderkrupt. »

Les Klups ne perdirent jamais leur vigueur : j'arrivai un soir sur une place publique pour m'apercevoir que les rues étaient bloquées, une foule en liesse s'était rassemblée, immense.

« C'est la fête nationale Klups ! » m'expliqua une jeune femme joyeuse et parée avec élégance du drapeau vert de l'ancien Klups colonial. La nuit vint enfin, la scène s'alluma, une clameur accueillit Pierre-Paul Rondin, le célèbre chantre-poète nationaliste Klups. Fait cocasse : le drapeau Krupt étant rouge orangé, cette couleur était bannie au cours de la fête ! N'exagéraient-ils pas légèrement ? Les éclairagistes et artificiers Klups faisaient de leur mieux : de splendides teintes vert pâle, vert foncé, vert pomme, vert forêt, s'égayaient pendant qu'accompagné de son groupe vert jade, Pierre-Paul entonnait l'une après l'autre ses chansons joyeuses aux saveurs campagnardes évoquant les exploits des anciens Klups, tandis que la population ivre de joie agitait les bannières de l'ancien Kunderklups, et dansait la gigue antique Klups, toute ravie d'être ainsi conscientisée par son phare culturel. Comme je m'amusais, dansant en cercle avec les ménagères et leurs cavaliers ! Parfois, l'éclairagiste se trompait et lançait un peu de vermillon : que de cris de rage !

Arriva la fin du concert. Un groupe de spectateurs avec qui j'avais follement tournoyé m'entraîna vers les loges : « Venez, étranger, me dit l'un d'entre eux, je connais personnellement quelques membres de son équipe, qui certainement nous inviteront à sabler le champagne. » Effectivement nous fûmes admis aux loges. Je fus impressionné par l'intensité de conviction qui se dégageait du chanteur et le félicitai de sa performance. Mais soudain, un homme portant le cheveu long et rassemblé en une queue de cheval impeccable fit irruption dans la pièce et annonça au chanteur qu'une subvention gouvernementale Krupt venait juste de lui être accordée pour la production du vidéo-clip de son projet d'*Hymne à la liberté*. On hurla de joie dans les loges. Mais le chanteur se mit à pleurer : « Ils me récupèrent. Ils me récupèrent ! »

rageait-il. « Mais non, Pierre-Paul, ils te craignent ! »
dit le beau couetté. Pierre-Paul retrouva son entrain
et la soirée finit dans un restaurant aux inventions
gastronomiques audacieuses.

Comme je grandissais ! Moi, Massoud al-
Rachid, je prenais de la popularité, je commençais
à devenir un expert recherché dans le domaine
de la longue querelle des deux peuples, je savais
des détails croustillants des ignominies d'État, je
connaissais les résultats précis des référendums
innombrables sur la question de la séparation, et
les dates historiques. Allais-je rester ici, afin de développer ma connaissance de ce pays compliqué ? Pris
par ce vice qui me pousse toujours à vouloir me faire
apprécier, j'y réfléchissais déjà sérieusement sans
me décider quand un jour, assis au café du centre,
pendant que je suivais attentivement une nouvelle
joute d'insultes télévisée des chefs d'État Klups et
Krupt, mon voisin de droite, un jeune étranger de
fort belle mine, engagea la conversation. Appre-
nant que j'étais voyageur, il frémit d'horreur et
s'écria : « Que venez-vous faire ici, dans ce pays, le
plus ennuyeux et compromissieux que la Terre ait
jamais porté ? Vite, fuyez vers le sud, où se trouve
la réelle joie de vivre. »

Il me parla longuement du Tucan d'où il revenait, photos à l'appui. On le voyait en compagnie
de multitudes de filles exotiques d'une beauté
exquise, ocre et tendre : « Y a qu'à se pencher »,
affirmait-il. Avait-il raison ? M'étais-je trompé ? Il
était vrai que j'avais besoin d'un peu de soleil : le
climat gris du Kunderkrupt m'avait affaibli. De plus,
des filles chaudes et dansantes me feraient du bien.

Il était temps de partir, finalement ! Plein d'espoir je m'embarquai pour le Sud.

Il n'avait pas menti : au fur et à mesure que nous approchions de l'équateur, je voyais les mines s'épanouir, les vêtements se colorer et s'alléger, les décors exploser. « Comme j'ai perdu mon temps au Kunderkrupt ! comme ils m'ont piégé dans le filet de leur complaisance ! » me disais-je en voyant le décor chaleureux du sud défiler, reniant à jamais le début de mon voyage et oubliant commodément comment je m'étais fait apprécier en faisant l'intéressé. Mais Dieu allait me punir de tant de bassesse ! Noir destin que le mien.

DEUXIÈME CHAPITRE

*Où le héros visite les pays
du Sud et interroge l'amour*

Après quelques jours de train et de bus, j'arrivai
enfin dans la ville balnéaire de Tuclum. En sortant
de l'autocar, je fus d'abord accueilli par une foule
criarde d'enfants dorés qui vendaient des breloques
et des sacs artisanaux. J'achetai quelques items, ravi
de leur prix incroyablement bas. Suivi ensuite par
une horde de petits marchands souriants à qui je
lançai des piécettes, imitant les autres touristes, et
m'étonnant de leur habileté à les attraper au vol
tout en se battant, je me dirigeai vers l'hôtel le plus
proche, en bord de mer, et me préparais à négocier
serré le prix de ma chambre quand on m'apprit
que la suite princière coûtait dix mille pesititos par
semaine, ce qui représente un zinhar et demi, le
prix d'un petit sandwich ! Avec mes économies, je
pourrais donc tenir cinq ans ? Ma stupéfaction allait
cependant être plus grande encore : on me servit
de la langouste sur un lit de crevettes en salade et
je m'en tirai pour deux mille pesititos, le prix d'une
demi-cigarette !

Je mangeais avec appétit et me préparais à bénir le ciel de m'avoir fait connaître le pays le plus accueillant et joyeux du monde, quand arrivèrent soudain en trombe une douzaine de petits mendiants dépenaillés qui me pressèrent de leurs doléances. Quelle pitié ! Des gales, des blessures ouvertes, des gerçures sanglantes, des vermines fourmillantes parcouraient leurs corps chétifs vêtus de haillons ! Je m'insurgeai : on permettait encore de telles aberrations à notre époque ? Mais au moment où j'esquissai un geste de charité et dirigeai ma main vers ma poche pour trier les piécettes des billets, le maître d'hôtel se rua sur moi et m'interdit de leur donner quoi que ce soit : ces enfants travaillaient en fait pour des adultes retors qui récupéraient tous leurs profits ! Ils mimaient la pauvreté, s'enduisaient de crasse pour se livrer à leur vice ! Leur donner l'aumône les empêcherait de se rendre à l'école et les encouragerait dans l'avachissement, le vol et la mendicité, il ne fallait surtout pas les soutenir dans ces mauvaises habitudes, ni eux ni leurs horribles chefs ! « Mais que faire ? » m'écriai-je fiévreusement, fier d'être en proie à un questionnement moral des plus poignants. Dirai-je que c'était mon premier voyage au Tiers-Monde ?

On me rassura : le pays était bien fourni en orphelinats, visités régulièrement par une clientèle honnête et bienveillante, venue des pays environnants à la devise plus puissante. Je retirai ma main de ma poche et remerciai le ciel de ce voyage qui aiguisait ma conscience sociale, tandis que le maître d'hôtel chassait les importuns. Après ma langouste, calme et rassasié, je contemplais le coucher de soleil sur la mer paisible tandis que les musiciens tucanais jouaient des mélodies langoureuses quand je me rendis compte que plusieurs jeunes femmes m'observaient du coin de l'œil. À l'apéritif, deux d'entre elles, d'une grande beauté, vinrent me rejoindre sans façon avec la légèreté et la simplicité qui font la réputation de la Tucanaise. La nuit fut fort longue dans ma chambre, puis je m'endormis, repu, bénissant le ciel de m'avoir fait connaître le pays le plus libre, le plus doux, le plus surprenant du monde.

Ah ! lecteur, le cours des devises du Tucan, comme il était sournois, comme on se laissait vite convaincre ! Comment résister ? Pour faire taire nos dernières réticences, nous nous disions que tout en créant de l'emploi nous pouvions nous reposer du surmenage et du stress, et grandir ! Effectivement, au bout de quelque temps, salés par les vagues, dorés par le soleil, nourris par des cuisiniers compétents et empressés de nous satisfaire, servis par des enfants souriants, ne pouvions-nous pas nous consacrer à notre âme ?

La belle vie : je m'éveillais et me recouchais toujours plus émerveillé de jour en jour. Je louai bientôt une grande villa dont les propriétaires, anciens romantiques reconvertis dans l'immobilier, étaient en voyage d'affaire en Asie, et qui me revenait, avec ses serviteurs, à un montant dérisoire. Mes journées se déroulaient dans la félicité la plus invariable : parti tôt le matin après le surf, je ramenais d'abord moi-même ma langouste que je donnais à cuire à mon cuisinier. Je m'isolais ensuite dans mon atelier pour écrire quelques vers ou pour esquisser quelque toile. Après la sieste, je pratiquais le volley-ball, puis je rencontrais mes comptables et avocats. Le soir venait sans crier gare, le cuisinier grondait : « La langouste va refroidir ! », puis tombait la nuit tropicale, ses touffeurs torrides, ses filles insatiables qui me laissaient fourbu et vide comme jamais je n'aurais rêvé l'être.

Des mois plus tard, entraîné aux sports de mer les plus exigeants, musclé comme un dauphin doré, assoupli par les vagues, les cheveux décolorés en mèches blondes exquises, j'étais devenu sans doute un des plus beaux et athlétiques jeunes hommes blancs du pays et je pouvais enfin rivaliser avec les surfers les plus magnifiques quand je rencontrai Carla. Ah ! ces cuisses de fer, ce dos de liane ! J'étais enfin amoureux, de cet amour que l'on souhaite, fait de sourires étincelants et de beauté suave. Nous courions le long de la plage. Nous chutions dans l'eau. Nous étions épuisés et coquins, nous mangions des cocos, nous faisions l'amour comme des reptiles en colère après des journées de joie éclaboussante et puis je la peignais, tel Gauguin. Me rendis-je compte de ma chance ? Me décidai-je enfin à profiter de la vie ? À saisir l'occasion qui m'était offerte de fonder une famille et m'envoyer en l'air avec simplicité ? Le lecteur sera surpris d'apprendre que non : car après avoir largement profité de l'aubaine, je décidai de me payer le luxe de nobles précautions. Est-ce snobisme maniaque ou envie de me croire intelligent qui fit que je résolus à ce moment de lever le nez, de devenir tout à coup conscient des différences pauvres-riches et de jouer au héros ? Dieu merci, au moment où j'écris ces lignes je peux affirmer que j'ai changé. Mais à cette époque, lecteur, il aurait mieux fallu que je sois fustigé de cent coups de fouet. Au bout de six mois d'ébats parfaits avec cette splendide créature qui ne demandait qu'à s'amuser un peu et à avoir un peu de facilités matérielles, et qui m'aimait bien quand même, j'étais déterminé à gâcher notre joie. L'occasion se présenta un jour où j'aperçus une de ses sœurs cadettes au bras d'un touriste allemand nonagénaire. Je décidai de m'horrifier, pour me lancer ensuite dans le questionnement maniaque de notre relation, me pensant profond et plein d'idéal : Carla n'était-elle avec moi que pour mon pouvoir d'achat ? pour le lustre de celui-ci ? Et moi, n'étais-je séduit que par la facilité ?

Ah ! ridicule Massoud : croulant sous les balluchons, afin d'éprouver la vérité de notre amour, nous partîmes vers l'intérieur des terres pour aller vivre dans un village d'une monstrueuse pauvreté où je m'engageai comme coupeur de canne. Comme je me croyais vrai ! Après mes journées de plomb, les mains ensanglantées, je rentrais le soir à la case, fourbu, et dévorais le repas que Carla m'avait préparé à base de manioc pilé au mortier traditionnel, en discourant sur les plaisirs de la vie fruste. Je l'impliquais dans la discussion : nous étions un couple. Que pensait-elle ? Plus instruit que les autres coupeurs, je devais peut-être devenir chef syndical ? Mourir assassiné pendant une grève glorieuse ? Je l'interrogeais : si je mourais, que ferait-elle ? Je n'étais pas contre son remariage, mais me resterait-elle fidèle moralement, et notre amour était-il à cette hauteur ? « Je ne veux que discuter, extrapoler ! » répondais-je à son étonnement.

Comme je m'aimais, comme je me torturais, et la torturais ! Mais Dieu est incisif, et un mois après que j'ai remporté le tournoi de billard de l'assemblée, en revenant goguenard et ivre de ma réunion syndicale avec des petites fleurs pour ma femme, je retrouvai la case vide : Carla était partie, m'ayant préféré un ingénieur sexagénaire et obèse de passage à la plantation. Idiot, je hurlai mon honneur bafoué à la cantonade, courant ivre et beuglant dans le village sous les rires francs de mes camarades : « Pourrais-je encore croire en l'amour ? »

TROISIÈME CHAPITRE

Où le héros découvre l'importance de l'amour

Mon voyage venait de trouver un objectif : l'amour vrai ! Il me fallait le débusquer. Fuyant les pays chauds où ma différence avait brouillé les cartes, je remontai au nord. Pour que ma quête soit efficace, je devrais rester modeste et ne présenter aucun lustre qui détournerait le regard des autres de ma nature profonde et vraie. Ah, Massoud ! Me trouver un appartement minable et un travail de plongeur dans un restaurant ne fut pas difficile, et je fus bientôt fui des femmes. Il faut admettre que le proverbe est vrai qui dit que « l'odeur de vaisselle est tenace sur le plongeur de métier ». Comme j'étais repoussant, et comme elles me repoussèrent ! « Qu'à cela ne tienne ! me disais-je, acharné, orgueilleux, je trouverais bien la perle rare », et je conservai mon emploi même quand on m'offrit de devenir serveur : je n'avais que faire de ces sourires factices aux clients, je resterais intègre et courageux, et je continuais de frotter les plats croûtés avec obstination et fierté ! Incroyable combien le fromage gratiné colle à la terre cuite, dans les plats à lasagne : il faut l'avoir vécu pour le croire. Mais Dieu est grand et, malgré ma foi, l'amour tardait. Les filles préféraient vraiment les garçons mieux placés. Fâché du matérialisme ambiant, je découvris bientôt dans la poésie un exutoire à ma colère et, d'un jet, j'écrivis quatre recueils innommables dont on me refusa la publication. Fi ! Je promenais ma silhouette exsangue sur les trottoirs, déclamant mes vers aux passants, rageur, cynique, couvert de saleté et m'aiguisant l'âme comme un diamant pur.

C'est au cours d'une soirée de poésie sulfureuse où j'avais fait sensation en lisant mon « Ode au Torchon » que je rencontrai enfin Serena qui avoua avoir lu tous mes poèmes et pleuré. Ah, lecteur ! Pourquoi Dieu ne me tua-t-Il pas immédiatement ? À force de chercher la pureté, je l'avais découverte et Serena était une sainte. Mais cette confession, la ferai-je ? Elle n'était pas sexy. Et pendant que nos conversations à propos du monde s'éternisaient toujours jusqu'aux petites heures et que je m'attelais à me croire amoureux, le moment venu de nous mettre au lit me paraissait toujours trop tôt. Allais-je comprendre et m'esquiver élégamment après quelques essais infructueux, comme un gentleman ? Non pas : je décidai de m'acharner et de vivre avec elle ! Pendant les premiers mois, je tentai de *travailler* la relation. Ensuite, voyant que rien n'évoluait, je décidai de m'ouvrir franchement de mes fantasmes et de ses difficultés à les satisfaire avec force détails, qui la laissèrent clouée au lit de douleur. Pourquoi Dieu ne me raya-t-Il pas de la surface de la Terre à ce moment-là ? Mais non, je restai en vie et pendant qu'elle pleurait, je me plaignais des affres que ma noble franchise me faisait subir. Ah ! Éducation ridicule et politiquement correcte de mon pays d'origine, que fis-tu de moi ? Convaincu que la discussion règle tout, je me déversais en de grandes analyses après chaque tentative de rapprochement. Rien ne changea, bien sûr, et ce qui devait arriver arriva, après maintes tortures inutiles, je me mis à baiser des cocottes en cachette et tandis que coupable, pas fier, je me traînais chaque fois que je le pouvais dans les bars high-tech, cachant ma honte dans une attitude désinvolte et des belles fringues à la mode payées à même la caisse commune de nos salaires de misère, à la maison j'en appelais à la liberté et à l'élévation : « C'est le quotidien qui tue tout. Il nous faut nous donner de l'air pour nous retrouver, nous revoir neufs ! » Ou encore : « C'est la vie de couple qui m'empêche d'écrire mon roman : il n'y a plus d'inattendu. Il faut que je vive des choses. » Ah, lecteur ! qu'on me trucide ! Trop généreuse pour voir ma mauvaise foi et ma lâcheté, Serena se mit soudain à essayer d'être plus sexy et à investir dans ma carrière, ruinant sa famille et ses amis pour publier mes manuscrits. Raconterai-je l'épisode de l'horrible mini-jupe, et celui des talons hauts où elle chancelait, voulant me faire plaisir, tandis qu'elle me traînait dans des cercles littéraires en faisant ma promotion ? Raconterai-je comment elle se niait pour ne pas me perdre, son abnégation horrible de fille en proie à son premier amour, et moi qui laissais faire ? Allais-je me ressaisir à temps ? Non : je suis une pestilence, je restai lâche jusqu'au bout, et un matin où je rentrai fourbu après une nuit fabuleuse à l'extérieur, je la retrouvai pendue au lustre de l'entrée. Avait-elle trouvé par là le moyen de ne pas me détester ? Noir destin que le mien : allais-je me mettre enfin à réfléchir ? Non ! Je décidai de ne pas culpabiliser et me lançai dans des sorties forcenées. Déclarant que la danse et le rythme étaient le secret de l'équilibre, tous les soirs j'essayais une nouvelle discothèque. Je devins excellent, les gens m'applaudissaient, on m'invitait à rejoindre des troupes contemporaines et je refusais invariablement. Était-ce pour me racheter à mes yeux que je me voulais intègre et vrai ? Ah ! tristesse, honte, orgueil ! Mais Dieu fut bon, encore une fois, et me sauva en me faisant rencontrer Ibrahim et ses pétrodollars. Ah, Ibrahim, quel fêtard impénitent ! Et comme il assumait sa superficialité avec panache ! Quand je lui contai mes aventures un soir de confidences, il décida de m'apprendre à vivre. « Tu as tué ta copine à force de lâcheté. Tu es une raie sale ! Un crapaud infect ! » me criait-il, tendre et caressant malgré tout. « Si je n'étais pas passé par là, je te haïrais, mais là je puis te pardonner, t'aider… Car j'ai été comme toi, moi, presque pire. Rien de tel que ceux qui ont vécu une expérience commune à la nôtre et s'en sont sortis pour nous comprendre. Tu es pire que moi, et pourtant, combien de démons se sont évanouis à mon contact pestilentiel ! »

Il m'avait adopté. Comme elles étaient douces à mes oreilles, ses insultes succulentes, quel facile repentir ! Il avait raison : j'étais un hypocrite, un coupable-né. J'adorais les cocottes aimant s'habiller léger et cher et ne rien foutre, je n'avais qu'à m'accepter au lieu de faire souffrir tout le monde, voilà tout. La vie était ainsi faite, il fallait que j'arrête de faire l'intéressant : et c'est dans un seul élan que je laissai enfin tomber la littérature pour me faire une place dans l'immobilier et me mettre en quête d'une épouse de qualité, essayant de la choisir avec circonspection. « C'est comme choisir une auto : il y en a pour tous les goûts », disait Ibrahim, le maître. Ah ! lecteur, qu'on me tue ! J'écoutais avec intérêt, j'acquiesçais, je trouvais cela intelligent et simple ! Enfin, à force de me tenir dans « les bons endroits branchés où les vraies femmes se trouvent », je rencontrai enfin Eva, une beauté nordique à couper le souffle. Ah ! Eva la sculpturale, aux jambes miro-bolantes, aux seins mirifiques, aux yeux verts et aux intérêts pratiques. « C'est une Rolls Royce », me disait Ibrahim. Il avait raison : son cul de fer, ses seins de granit, haut perchés, au lit ses mouvements secs, précis, aisés et cochons, ses petites moues indifférentes et son soin parfait ne me lasseraient jamais, je pouvais en être sûr. Je l'obtins un soir avec brio, rivant finalement le clou à son amant japonais en payant la tournée générale de champagne au club en entier, après que l'amant en question avait suggéré avec arrogance que je n'aurais pas eu les moyens de vivre à Tokyo ! Comme il grimaçait, tentant de sourire en buvant sa flûte de Moët et Chandon ! Et quelle nuit enfiévrée, après. Était-ce la bonne ? Je n'en doutai plus, un mois plus tard je l'épousai lors d'une belle cérémonie dispendieuse et achetai une grosse villa dans les quartiers chic.

Dieu est juste, au bout d'un mois, nous nous disputions continuellement, à cause des prix des rénovations : oui, Eva aimait décorer et acheter des marques. Constamment fourrée dans les magasins de cuisines chic et entourée de décorateurs élégants, elle modifiait le design après chaque construction. Nous étions aluminium, puis céramique. Quelques semaines de moderne étaient suivies d'un retour au décor hollandais, avec des nappes brodées, des coussins partout, des chevaux de bois antiques. Puis elle mettait tout au feu et adoptait le style suédois, redevenait zen et c'étaient les tatamis. Que de designs ! Ruiné à chaque fin de mois, je commençais à être cardiaque et obèse à force de m'engueuler avec les grossistes sur mon portable ou de rester assis devant mon ordi pour faire de la comptabilité. Comme je me sentais floué, comme je pleurais ! Ibrahim s'étonnait : « Mais arrête, imbécile ! toutes les vraies femmes sont comme ça : elles aiment se sentir comme des princesses ! Tu es un hypersensible », me criait-il, découragé. Ah ! Ibrahim, quelle conviction ! Dépassé, il abandonna mon tutorat et délégua mon hypersensibilité à son psychiatre qui me proposa dix ans de thérapie. J'en pris vingt, après avoir gagné une négociation mémorable : il avait d'abord essayé de me faire acheter la première tranche de dix ans à un prix vraiment trop bas, mais j'avais compris que c'était dans le but de mieux me harponner et ensuite me niquer quand viendrait la négociation de la deuxième tranche, quand je serais devenu dépendant. Il essaya de me faire changer d'idée, mais j'insistai, hypocrite : « Quoi, dix ans ? Mais j'ai plusieurs amis qui en ont eu au moins pour trente ans et qui n'ont même pas fini, même Isadora qui vient vous voir depuis quarante-trois ans me dit qu'elle a encore des angoisses !» Ah ! quel imbécile : je penserai toujours à son petit air content, tout à coup, après avoir joué le jeu. Je me pensais fin mais j'étais refait. Personne ne peut être plus fin au marchandage que le psychologue, c'est moi qui vous le dis et si ce livre aura servi au lecteur à l'apprendre, moi, Massoud al-Rachid, je mourrai heureux.

Fort de mon forfait, j'entrepris le travail de guérir. Nous résumâmes mon problème : mon désir d'idéal me portait vers l'abnégation et les sujets élevés, cependant mon amour des jeunes et belles femmes aimant s'habiller léger et cher et ne rien foutre m'obligeait à faire partie du monde matériel, provoquant chez moi des conflits intérieurs insolubles. Ces contradictions étaient-elles insurmontables ? J'étudiais mon cas avec passion. Pendant ce temps, Eva, elle, continuait la décoration, entrant dans des rages épouvantables aux moindres objections : là, elle avait une fixation sur Stark. Ah ! j'avais voulu m'accepter moi-même, j'étais servi : le jour, elle faisait les magasins pendant que je vendais des appartements. Le soir venu, elle m'entretenait de ses achats et de ses querelles constantes avec ses amies, puis me parlait de changer la Mercedes, et même la Porsche, dont elle se désintéressait depuis que la voisine s'en était fait offrir une par son scheik. La nuit arrivait enfin, nous nous mettions au lit, et nos ébats parfaits étaient suivis de lourds silences. Je m'enfonçais dans la tristesse, torturé de questions : mais pourquoi l'avais-je épousée ? Étais-je maniaco-dépressif ? Mon psychologue, que je commençais à traiter d'incapable à toutes les séances, essayait de me faire avancer : j'avais un attachement trop fort à ma mère ? Peut-être, sevré trop vite, j'avais gardé une soif inextinguible ? J'étais victime de goûts imposés par la société, jouet des images véhiculées par les critères à la mode ? De toute façon, je devais me débarrasser de mes patterns. Je m'efforçais de développer d'autres penchants. Je m'entraînais. J'étais peut-être gay ? D'accord : j'essayai de baiser avec Lee Chen, un docteur de mes amis. Non, non et non, Lee avait beau vouloir me faire sentir fragile en m'enculant, ça ne marchait pas. Ah ! les patterns ! tenaces comme des sangsues ! On n'a pas fini de s'interroger sur eux : « Comment se fait-il que quelqu'un de beau comme moi, qui a un travail valorisant et une excellente musculature, je ne me sois pas encore trouvé de copine à mon niveau ? » se demandait un jour un de mes amis.

« C'est qu'il a le pattern du perdant ! m'expliqua mon pénétrant psychologue. Il aime l'échec, son caractère est gauchi par son éducation qui lui enseigna probablement à se sous-estimer ! Un jour, il saura s'apprécier lui-même à sa juste valeur et se sentira à la hauteur d'une professionnelle excellente et mature, d'une grande beauté, comme lui ! »

J'avais hâte à ce moment, moi aussi. Afin de me débarrasser de ces hideux patterns, je décidai de me développer en sagesse et en grâce. Après avoir étudié les échecs, je gagnai plusieurs parties, puis je décidai de jouer au gladiateur et je me retrouvai fréquemment à la campagne avec des copains où l'on se tapait dessus à coups de gourdins. Contente du fait que je cessais de grogner toute la journée,

Eva m'encourageait : « Il faut savoir se distraire, dans la vie », disait-elle.

Mais on se lasse vite des loisirs continuels. L'homme a besoin de se sentir utile : en quête de défis, je me découvris une passion pour le bio, adoptai les vêtements de chanvre et laissai le commerce pour me consacrer définitivement à la culture des légumes sans sulfates. Pour prouver l'inutilité et la stupidité de l'utilisation des insecticides chimiques, j'investis des fortunes dans le développement d'une féroce guêpe mangeuse de chenilles. Dieu qu'elle piquait ! C'était de la folie, son dard entrait sous la chair et y instillait un venin d'un vice sans limites, créant d'atroces souffrances. Que d'horribles courses dans les champs ! Mais mes efforts n'avaient pas été vains, et fatiguée que je n'investisse plus dans le couple, Eva me quitta soudain pour suivre un beau milliardaire blond qui transformait des usines en lofts ultramodernes.

Ah ! imbécile de moi. Finis, les patterns. J'étais enfin seul de nouveau. Tout le jour, j'arpentais les parcs en respirant l'air frais et rentrais chez moi sagement pour écrire mon journal de réflexions. Mon psychologue me félicitait : je serais bientôt affranchi de mes frustrations de jeunesse, ce n'était qu'une question de temps. Nos séances se teintaient d'un humour que nous trouvions profond, fait d'extrapolations révélatrices : pour nous égayer, nous élaborions longuement sur l'existence d'une femme superbe, élancée et racée, qui tout en possédant le goût raffiné et la peau hyper-traitée des mannequins les plus riches aurait développé une compassion digne de mère Teresa et nous riions à gorge déployée de l'impossibilité d'un tel prodige ! Comme nous nous trouvions cocasses et intelligents ! Que de fous rires ! Est-ce pour cela que Dieu me fit rencontrer à ce moment exact l'extraordinaire Myriam, au cours d'un séminaire sur les difficultés d'hydratation des tubercules de serre ? Ah ! Myriam, la Vierge en personne ! Elle avait le teint pâle et lunaire des Madones de Botticelli, tout en possédant le sombre et douloureux regard des filles du Sud. Sa poitrine, grosse et ferme, alliait la perfection classique à la courbure moderne. Elle portait enfin des robes légères, qui soulignaient pudiquement une silhouette parfaite dont elle faisait peu de cas. Que faisait-elle de son temps ? Lecteur, attache-toi sur ta chaise : elle consacrait son temps au bénévolat, assistant les malades dans les hôpitaux surchargés, portant des repas aux vieillards à domicile, écoutant les patients avec calme et affabilité. Et elle m'aimait passionnément ! Ma quête était-elle enfin finie ? Après avoir craché sur mon psychologue et ses attentes raisonnables au cours d'une dernière séance cathartique, je m'installais avec Myriam dans une maison de campagne quand elle mourut d'un cancer du cœur, transfigurée et heureuse. C'était une sainte.

QUATRIÈME CHAPITRE

Où le héros découvre ses chacras et devient champion
de sexualité tantrique avant d'être vaincu
par un adversaire de taille

Je ne crois pas avoir jamais maudit Dieu plus que le jour de cette mort. Sa Grandeur cachait-elle un instinct sadique ? Était-ce pédagogique ? C'est que je n'avais pas à cette époque compris Sa Prescience, qui donne à l'homme ce qu'il désire avec largesse afin de lui faire entrevoir sa cupidité constante, son égoïsme, sa vénalité honteuse ! Noir destin que le mien ! Encore persuadé d'être la victime d'un sort injuste et oubliant toutes les fois où ce même sort m'avait été à moi favorable tandis que les autres séchaient, hurlant de douleur et de rage, je décidai de me retirer quelque temps loin du monde, et m'arrêtai finalement sur une île minuscule du Pacifique, à la hauteur du Capricorne. J'y trouvai une petite maison au bord de la mer, où je m'installai pour méditer, tâchant de me remettre de mes blessures par de longues marches le long de la plage infinie. Rien à faire : malgré mes efforts pour être positif et accepter le destin et son mystère, je finissais toujours par ressasser d'amers ressentiments et crier des injures aux cachalots échoués : « Les humains, c'est que de la merde de crapaud, du vomi de crabe ! Dieu est un concept inventé par les corbeaux pour faire rire les chiens ! Et toi, imbécile de cétacé au cerveau minuscule, qu'es-tu venu faire sur la plage, buté comme un missile guidé ? »

Suis-je toujours convaincu d'être une victime au cœur pur et en profiterais-je constamment pour tirer des conclusions véhémentes et générales sur les grandes lignes de la création ? J'allais être puni de belle façon : une très belle femme arriva un jour dans l'île et s'assit en lotus sur la grande pierre plate qui faisait face au couchant. Je l'observais depuis quelques semaines quand je décidai de l'aborder. Elle avait quarante-cinq ans et semblait inatteignable. « Mais qu'est-ce que tu fais jeune ! Incroyable ! – C'est le yoga ! répondit-elle. – Il faut que je m'y mette, alors, dis-je. » Nous fîmes connaissance. Je l'informai de mes désillusions, de mes amertumes. Elle se mit à rire : tout cela était normal, je n'étais pas assez *stretch*. Mon corps avait accumulé des tensions nuisibles, ma nostalgie était tout entière imprimée dans des nodosités musculaires ! Étonnée de mon ignorance, elle m'expliqua les fluides secrets du corps céleste, et me lut des extraits de la *Shantayashavishnaya*. Pendant qu'elle parlait, je regardais avec envie les photos des bouddhistes en sari qui ornaient les murs de sa case : comme ils étaient sereins, contemplant leurs immensités tibétaines de montagnes argentées, de ciels rouges et de lacs bleu royal ! Et je pouvais atteindre ce calme et cette beauté, moi aussi ?

Lecteur, il faudra t'habituer. De nouveau convaincu que j'avais trouvé, je me mis au travail, commençant par des séances courtes d'exercices respiratoires et de mantras élévateurs pour ensuite m'adonner aux postures. Comme je faisais le beau, tandis que je me positionnais, comme je me croyais spirituel, juste parce que je devenais très mince et musclé ! Le gras disparut entièrement de mon subconscient. Le matin, après quelques heures d'élongations au levant, nous faisions notre toilette dans l'eau glacée du torrent qui parcourait la montagne. Puis, nous passions aux exercices respiratoires, qui duraient jusqu'à midi. Enfin, nous mangions un fruit. Après la sieste, nous discutions de nos chacras : était-ils bien ouverts ? Je remarquais un petit bouton sur sa joue : peut-être un peu de stress ? Le soir venait : nous contemplions le couchant en position de lotus renversé, et nous dormions après avoir admiré mutuellement la sagesse recueillie qui émanait de nos expressions attentives.

J'atteignis enfin le Zen : fièrement, je regardais Ganael s'envoler en longs orgasmes tandis que j'effectuais les Vayatrasmanayas et les respirations. Une fois par mois seulement, disaient les Védas, j'avais le droit de venir. Nous regardions jaillir le sperme avec admiration et émerveillement. Ah ! lecteur, que d'application, et que de suffisance dans le plaisir des yogis. Niais, je croyais avoir réussi à prendre le contrôle de mon bonheur en même temps que celui de mon éjaculation. Mais le destin est miséricordieux et arriva sur l'île sous la forme d'un brahmane qui sentait la fleur d'oranger, pouvait tenir sur la tête pendant un mois et retenir son sperme pendant quatre ans. Le saint baisait comme un rotor. Une machine à coudre : il vrombissait en secouant les hanches, ronronnait comme un douze cylindres huilé, atteignant des accélérations inouïes. C'était son truc. Ganael, impressionnée par le gourou, décida de suivre ses cours : il la pilonna de son zob, avec la précision d'un carburateur de Ferrari et la force de douze Ivoiriennes en forme quand vient le manioc. Comme elle jouissait, toute la journée, comme elle criait : on l'entendait jusqu'à l'autre bout de l'île hurler de joie, gémir et grogner. J'étais déclassé. Je repartis de l'île en hurlant de dépit.

Ah ! destin, te remercierai-je assez ? Sans toi, je serais probablement encore en train de faire le lotus avec un air niais ! Mais je n'étais pas prêt à apprécier la bonté du sort à mon endroit et encore convaincu d'être l'homme le plus malchanceux qui fût, je pleurais, geignais, maudissais de nouveau le Ciel et la race humaine. Mais avais-je totalement tort, cette fois ? N'avais-je pas un peu droit aux circonstances atténuantes ? Eva avait traité l'amour comme une association d'affaires, un échange mutuel de services, le but de l'existence étant l'agrandissement acharné du domaine et le damage de pion de Céline-Paule, la pétasse du château d'en face. Myriam s'était tuée d'Amour sacrificiel. Carla avait grandi dans des conditions de pauvreté telles qu'elle en était venue à ne plus croire en rien d'autre que la Mercedes Sport et le sac Gucci de la revue *Elle*. Serena ? Ganael ? Merde. Enfin, est-il possible de rencontrer l'équilibre ?

Lecteur, tu as remarqué tout ce qui vient de se passer, et comment j'en appelle aux défauts d'autrui pour me croire équilibré ? Je suis une véritable ordure. Et comme je me croyais bon, jugeant de haut ce que je venais de vivre, encore et toujours certain d'être plus blanc que les autres, faisant la victime, jouant à la dignité offensée, à la pureté perdue, et sombrant dans la misanthropie.

Raconterai-je l'évidente suite, comment je choisis définitivement d'adopter le célibat pour faire le beau et comment je décidai de devenir spirituel et de renoncer aux femmes ?

CINQUIÈME CHAPITRE

Où le pénitent rencontre un moine qui le convainc
d'embrasser la robe et découvre les plaisirs solitaires
dans un monastère

> Ah ! lecteur, cesse cette patience
> empruntée qui ne va qu'aux carpes
> chinoises, couvre-moi de tes mo-
> queries, fais les tomber en pluie sur
> le désert de ma vie, et peut-être un
> jour me poussera-t-il enfin un petit
> bosquet d'intelligence. Non ? Tu en
> redemandes ? Tant pis pour toi !
>
> MOKTAR BENABES,
> *Le tour du monde en complet*

J'habitais à la campagne. Aller écouter des conférences sur Dieu était devenu ma seule activité. Il
me fallut donc rencontrer un jour, pendant une
semaine de silence, ce jeune moine novice qui
m'initia à la spiritualité et au renoncement. Il allait
bientôt prononcer ses vœux éternels et adopter la
robe de bure qui gratte à l'infini pour se cloîtrer à
jamais dans le mutisme et la prière. Impressionné

comme je le suis toujours par ceux qui ont un calme apparent, je décidai d'être son disciple et l'entretins longuement de mes déboires, de mes doutes en l'Homme, de mes désillusions. Il m'expliqua la cupidité, les désirs insatiables, la vacuité terrestre. Il avait lui aussi connu cette valse effrénée jusqu'au jour où il avait renoncé : quelle légèreté, ensuite ! Évidemment, quand il croisait une femme séduisante, son cœur se serrait toujours au souvenir de ses anciennes étreintes, mais il le savait à présent : l'union brève et le plaisir seraient toujours suivis du vide, et même si l'amour venait à passer, bientôt arriverait l'ennui, l'ingratitude. Le désir, l'amour humain ? Tout au plus un simulacre d'infini... Se réaliser ? La futilité de l'œuvre éclaterait inévitablement à la vieillesse quand le dessèchement des articulations, de la peau, les mille douleurs et courbatures ramèneraient l'homme à sa condition. Non, la foi était la seule solution valable à cette vie étrange, éphémère et souffrante.

J'entrai au monastère de la Vision Éthérée quelque temps après comme on saute dans une rivière un jour de canicule. La prière du matin durait deux heures pendant lesquelles j'accomplissais les deux mille génuflexions. Nous frottions ensuite le plancher, puis nous faisions la cuisine en scandant les quatre cents litanies sacrées. Est-ce à dire que nous nous prenions au sérieux ? Absolument pas : invariablement, l'un d'entre nous se trompait, et en faisait quatre cent une, pris dans son élan. Il restait suspendu, se tapait le front, et sa confusion était le spectacle le plus drôle du monde. Comment cela se pouvait-il ? Encore ?

Ne nous étions-nous pas promis la veille de ne pas nous tromper le lendemain ? Nous nous roulions par terre à force de rire !

Ah ! le sens de l'humour monastique : lecteur, il existe. Je me rappellerai toujours la fois où un traducteur novice avait fait une erreur au cours de la conférence d'un invité hindou, traduisant le mot *foi* par *ustensiles* ce qui avait donné : « Ce qui sauve l'homme, ce ne sont pas ses désirs mais bien ses ustensiles. » Lecteur, tu te lasses ? Je finis : c'est quand je crus enfin avoir trouvé la sagesse que je découvris un jour, par mégarde, au cours d'une longue promenade inspirée, le bras de rivière secret dont on m'avait parlé parfois, ce beau trou de roches où les filles des villages voisins venaient tous les jours nues et en grand nombre se rafraîchir et s'éclabousser le corps. Est-il nécessaire d'en rajouter, de tout relater en détail ? Une semaine plus tard, ma spiritualité de pacotille avait volé en éclats et je me retrouvais continuellement sur la corniche maudite qui surplombait le bassin des adolescentes et, de retour au monastère, je me touchais sans arrêt comme les vieux moines vicieux qui me faisaient pitié dans les débuts de ma vocation, n'attendant plus que la prochaine heure de promenade mais mimant la sainteté avec d'autant plus d'hypocrisie. Ce qui devait arriver arriva : un après-midi où de mon poste d'observation je regardais trois jolies nouvelles se rafraîchir dans la cascade, soûl comme un cochon de trop de vin de messe, je ne me contins plus tout à coup et me jetai dans le tas comme un fou, perdant définitivement les sens ! La chance fit que je trébuchai et m'assommai sur une roche avant de les attraper. Quelques heures plus tard je m'éveillai, face contre terre, horrifié. Honte sur Massoud ! Pleurant, rageant contre moi-même et Dieu et l'Enfer, j'entendis soudain la police qui s'en venait et c'est en courant tout droit sans me retourner que je compris enfin que ma prétention m'avait mené à la pire honte qui soit !

Allais-je maintenant accepter mon humanité et décider de vivre simplement ? Me trouver un emploi agréable ainsi qu'une épouse jolie et bien assortie et tenter de me réinsérer avec humilité parmi mes semblables tout en demandant de l'aide à des gens éclairés ? Non, lecteur. Car je suis une casserole vide, incapable d'apprendre de mes erreurs, et la suite te le prouvera sans aucun doute.

SIXIÈME CHAPITRE

Où le héros essaie d'atteindre la grandeur
par les privations et n'arrive qu'à être plus ridicule

Quelle prétention que la mienne ! Est-elle pire que
les pires ? Je me complais même parfois à m'en per-
suader : car même sur le chapitre de ma médiocrité
je voudrais encore triompher ! Vous dirai-je qu'un
jour, quand le destin m'envoya un nouvel échec
cuisant pour me ramener à la raison, renonçant à
sa grande bonté pour une seconde, je réussis à me
vanter de nouveau et à dire que je carburais à l'ad-
versité pour faire mon champion ! Moi, Massoud
al-Rachid, je transforme tout le temps tout à mon
avantage, même à mon propre détriment, je suis
mon pire ennemi !

Là, j'avais décidé de marcher droit devant,
en ressassant des grandes questions, persuadé que
leur profondeur me donnait de la densité. Les
dents serrées, je me concentrais. Comme je suis
esthétique, comme je suis vaniteux ! Moi, Massoud
al-Rachid, je me cramponne dans l'ascèse : aussitôt
que j'essuie un échec, je me gonfle d'orgueil, me
terre dans l'anorexie et décide de devenir pèlerin,

de partir seul vers l'infini en boudant tout le monde et en prenant des grands airs. Qui étais-je ? Que cherchais-je ? Je n'aurais donc aucune réponse, aucun éclair fulgurant, aucune révélation subite ? Comme je regrettais le jour où j'étais parti, comme je maudissais la vie, Dieu, ma famille, mes épouses successives, et mon inusable complet ! Rageur, j'arrivai enfin aux déserts du sud-est. Frémis-je de joie devant leur blanc de zinc terrible, leur chaleur épouvantable ? L'épreuve était de taille, et je m'engageai résolument dans les canyons, les chemins escarpés, écrasant parfois dans des craquements sinistres les ossements blanchis de pèlerins morts de soif. Ah ! Qu'on me trucide, qu'on me cloue, qu'on me mette les couronnes d'épines, puisque j'en redemande. Remontant les continents de sel sans gémir, frôlant la mort mille fois, lui échappant tout autant de fois, toujours poursuivi par une étoile implacable, j'aperçus enfin au loin une chaîne montagneuse énorme et rouge qui ne manquerait pas de me tuer. Je m'élançai à sa rencontre. Arrivé à son pied, je vis les pires parois de l'univers terrestre. Friables, verticales, lisses et désagréables : aucune prise. Forcené, je grimpai la paroi de gravier, essayant de ne pas me nourrir malgré moi d'insectes et de ne pas boire l'humidité des rosées du matin. En vain ! Arrivé au premier à-plat qui faisait trois mètres carrés et fournissait vers et cactus à profusion, je fus de nouveau incapable de m'empêcher de m'empiffrer. Après un petit somme je fus de nouveau frais comme la rosée. Mais je suis tenace ; j'y arriverais. Je me remis à l'escalade, suant et saignant et serrant les dents. J'atteignis l'autre plateforme, cinq autres mètres au-dessus, deux semaines plus tard, mais en pleine forme car repu de chenilles qui passaient par là. J'avais encore craqué. Je prenais presque du poids ! Sur le surplomb, voyant la mort s'éloigner de nouveau tandis que je digérais comme un bébé, je pleurais amèrement ma faiblesse quand la pluie tonna, rarissime phénomène, transformant en quelques jours ma paroi monstrueuse en vallon d'herbes grasses.

Non, la mort se refusait à moi. Lessivé par l'orage sans fin, je sombrai dans un désespoir silencieux, certain que le Ciel me visait personnellement. Comme je me crispais, sous le torrent. Comme je haïssais Dieu. Mais il arrive toujours quelque chose à l'Homme qui se croit plus fin que son Créateur : comment le Ciel décida-t-il cette fois de m'instruire sur ma vacuité ? De la façon la plus simple qui soit : autant je m'étais cru Sa cible, autant je pourrais me croire Son élu. Cet orage incroyable, rarissime, comment se faisait-il qu'il éclatât au moment où j'étais là ? Quel hasard sulfureux ! De là à penser que j'étais destiné à des œuvres supérieures, il n'y avait qu'un pas : je le franchis avec allégresse, comme le vrai al-Rachid que je suis et, regardant les découpures de ciel à travers les nuages qui commençaient à se raréfier, je vis dans les éclaircies le salut de l'univers à ma nouvelle destinée.

Le déluge cessa. Je redescendis au sol à présent couvert d'herbe fraîche et me mis à contourner gaiement le massif. Certain du regard de Dieu sur moi, je gambadais au hasard quand au pied de la falaise je découvris une ouverture d'où une rivière torrentielle jaillissait. J'entrai dans la faille pour remonter le torrent qui traversait de part en part la montagne et j'aboutis quelques semaines plus tard dans des plaines giboyeuses. Je remontai, remontai encore. Un paysage lunaire suivit, torride et inquiétant, et j'aurais sûrement rebroussé chemin si la rivière providentielle n'avait continué à me fournir ses truites à profusion. Enfin, au bout des terres volcaniques, se présenta soudain une autre chaîne de montagnes vertigineuses au pied de laquelle, dans un trou béant, ma rivière prenait sa source. Confiant, je m'élançai dans le long tunnel aéré et spacieux, qui s'éclairait d'étranges fleurs phosphorescentes. Je progressais depuis une semaine quand j'aperçus un jour de la lumière au-dessus de ma tête : la cheminée débouchait sur la nuit noire et brumeuse d'un sommet verdoyant. Épuisé, je m'endormis sur les mousses confortables et fraîches.

Le matin vint. Le soleil monta, le vent chassa les nuages. À mes pieds, une immense vallée s'étendait. Juste au milieu, un lac cristallin, profond et pur, étincelait d'habitations de bambou peintes de couleurs vives ! Partout autour, une population magnifique, nue et joyeuse, allait et venait paisiblement. Je tremblai d'émotion : avais-je découvert la dernière société pure, le dernier jardin d'Éden ? Après avoir embrassé la terre bénie, je m'élançai.

SEPTIÈME CHAPITRE

Où le héros retrouve l'Éden premier

Ah ! lecteur, ce bain de nudité, ces plumes et herbes sèches qui faisaient leurs parures ! En atteignant la foule, je fus porté autour du lac, de village en village. J'étais « *Mongoué, celui qui vient du ciel* ». Quand le soir tomba vint le festin de saumons frais aux jus d'agrumes savoureux, de salades incroyables où se multiplièrent les cressons étranges, les menthes rouges, les citrons sucrés.

Les musiques enfin m'enchantèrent : les femmes jouant de leurs mains expertes de la siga ou du nuinui et les hommes battant légèrement le gwo provoquaient des élans terribles de nostalgie et de joie. Après, les danses eurent lieu, explosions acrobatiques où jamais ne transparaissait le moindre effort. Les femmes étaient capables des contorsions les plus suggestives, les hommes des sauts les plus périlleux. On m'invita à montrer ce que je savais faire : les natifs regardèrent avec intérêt mes pas de polka.

Je tombais de sommeil. Mes hôtes me montrèrent ma case, où mes nouvelles concubines m'attendaient en riant : dans une lenteur et une douceur extrême, elles me firent connaître les plaisirs des premiers hommes, sans arrière-pensée ni réserve. La nuit dura jusqu'à l'aurore, jusqu'à ce que fou de joie et de tristesse, je m'endorme dans les bras de mes concubines, reniant à jamais mes origines. Mon acharnement, ma foi avaient-ils porté fruits ? N'était-ce pas la civilisation qui avait gauchi l'âme humaine ? Et ma vie souffrante, que pouvait-elle être d'autre qu'une préparation à cette illumination ? Mon mérite avait été éprouvé, mais j'avais vaincu par mon intégrité !

Ah, niais de moi ! Niais de moi ! Il était évident qu'on me fêtait trop. J'aurais dû m'en rendre compte, mais bien sûr je préférais ne pas me questionner tandis qu'on me portait sur les palanquins. Un homme sain aurait décliné de suite ces honneurs exagérés, et s'en serait mieux tiré. Il aurait lu les signes : trop d'intérêt, c'est louche. Trop de félicitations gratuites, trop de caresses et de faveurs, ça frise l'indécence. Lecteur, quand on se presse autour de toi, quand on t'invite trop, méfie-toi : peut-être as-tu affaire à des clubs de pédophiles maniaques qui veulent t'impliquer dans leur comptabilité afin de se couvrir, si ce n'est à un club d'échangistes qui veulent subtilement t'amener à faire niquer ta femme. N'importe qui de pas trop insensé le sait. Mais moi, Massoud al-Rachid, comme j'aime le son des éloges, et comme je m'arrange toujours pour faire le modeste – tout en accusant de jalousie ceux qui me mettent en garde contre la flatterie – quand je suis promu à une quelconque distinction ! Et au lendemain de cette nuit prodigieuse, j'aurais vendu père et mère pour ma nouvelle bande, persuadé qu'ils étaient le bout du monde. Mais Dieu me veut du bien et me remet sur le droit chemin dès qu'Il en a l'occasion : le malheur rédempteur allait rapidement arriver, mais pour que tu puisses apprécier ce qui suit, je dois t'informer des croyances Gnonws qui présidèrent à ma déchéance.

L'univers de mes hôtes, tel que décrit dans les livres sacrés, était constitué de cinq parties : nommons d'abord la plaine fertile et le lac pur, Paradis donné par Dieu à Ses chers Gnonws, qui sont Sa plus belle création. Vient ensuite le Purgatoire divin, au-delà des montagnes infranchissables, fait de terres arides et caillouteuses (les plaines volcaniques !), endroit où les âmes des Gnonws morts expient leurs petits péchés avant d'être admis à l'Éther de plaisir, ce pays de sensations exquises et continuelles, de révélations lumineuses.

Mais derrière les remparts de feu du Purgatoire, voilà l'inexpugnable, l'impitoyable Enfer des Monstres Jaunes où vivent des diables belliqueux et bornés, sous-race sans aucune utilité créée par le Fils de Dieu un jour de frustration contre son Père.

Les Écrits disent :

« [...] La querelle durait depuis longtemps quand le Fils, fatigué de la perfection paternelle, décida un jour de s'amuser au nihilisme et de créer ces gnomes avides. Et quand Dieu se réveilla, il était trop tard, mais Il décida de laisser vivre le Mal pour faire valoir Sa création. »

Les Écrits détaillaient longuement les coutumes de ces peuples infiniment laids et grotesques, sans cesse en proie à des querelles de voisinage et des guerres sans merci pendant lesquelles les femmes enceintes étaient éventrées, les jeunes filles violées et égorgées, les enfants des pays pauvres enlevés par des mercenaires qui les équarrissaient afin de remplir les banques d'organes des peuples riches. Lecteur, reconnais-tu notre monde ? Comme je rougissais tandis que le sorcier me montrait les illustrations des rouleaux sacrés des ancêtres, qui décrivaient mon horrible civilisation ! Comme je feignais l'étonnement en voyant les dessins des démons : laids, méchants, crapuleux ! Quelle synthèse ! On n'a pas idée, parfois, comme les primitifs sont renseignés. Est-ce *National Geographic* qui a fait son œuvre, ou le guide du *Lonely Routard* ?

Mais les lois Gnonws n'imitaient pas la miséricorde de Dieu, et les rouleaux étaient formels : les habitants de l'Enfer, puants et visqueux, devaient être éliminés dès que repérés par les Gnonws, c'était obligatoire. Suivaient les descriptions des tortures qui devaient leur être infligées pour que leur âme soit anéantie à jamais. Le plus haut exploit était de prendre un de ces monstres à la chasse et de le ramener vivant à la tribu festive afin qu'il soit brûlé à petit feu : le Paradis assuré pour le chasseur, et pas à n'importe quelle place ! Les enfants en rêvaient : « Papa, j'ai tué un Démon Jaune ! » s'écriaient-ils souvent au réveil, tout charmants de naïveté ! Comme je me tenais à carreau, tandis que le sorcier me montrait ses couteaux sacrificiels sacrés ! Ne pas laisser paraître ma nervosité tandis qu'il me lisait les descriptions des divers Monstres Jaunes, ne pas trembler tandis qu'il me disait ce qu'il ferait s'il en tenait un, n'était pas de la tarte.

Avais-je de la chance ? À part le Paradis, l'Éther de Joie, le Purgatoire et l'Enfer Jaune, existaient les Espaces Lointains, censés abriter des êtres surconscients et bons que l'on nommait les Êtres de Lumière, qui s'incarnaient parfois pour venir voir et aider leurs chers petits cousins Gnonws lors de voyages amicaux. Je compris alors qu'on m'avait pris pour un habitant de Bételgeuse vu la pâleur de mon teint et la dureté de ma peau. Mais il y avait un petit os : quelque chose clochait, il me manquait les yeux orange pour correspondre parfaitement à la description. Je leur expliquai que les Bételgeois n'avaient pas *tous* les yeux orange : certaines pupilles fonçaient à l'âge de trois mois, et devenaient brun-vert. On rectifia les Écrits en grande pompe. Comme nous festoyâmes ! Que de banquets suivirent ma description enflammée des espaces célestes ! Et ce jour où j'avais traqué à la chasse à courre un être de l'Enfer, jusqu'à l'Hallali. Mais le gnome m'avait échappé au moment crucial : que de ruses dans son esprit porcin !

Raconterai-je combien je fus nerveux quand ils m'amenèrent un aveugle pour que je le guérisse, après m'avoir considéré suffisamment fêté ? Je réussis malgré ma crainte à garder mon calme et lui imposai les mains en psalmodiant. On me remercia de plusieurs fruits et poissons, que je partageai avec la horde. On m'amena ensuite un paralytique, qui venait de s'écraser pendant une séance de cerf-volant. J'exécutai quelques danses, mais je ne sais quoi différant le moment de la guérison et la rendant plus ardue, m'obligea à proposer un rendez-vous pour le lendemain, et je promis plusieurs séances gratuites pour le mois suivant. Enfin, on m'amena un sourd, que je recouvris d'argile en faisant des incantations et des transes rythmiques. Ça se gâta très vite : un mois. Un vrai guérisseur, c'est rarissime, c'est un don. Ça arrive à la naissance, toute la famille s'en aperçoit un matin, et on se retrouve à faire tordre des cuillers par la force de sa pensée devant des savants indignés ou à guérir des condamnés à mort, et ensuite à se faire traiter d'imposteur et de gourou puis cracher dessus. Qui étais-je pour me croire capable de rivaliser avec ces destins fulgurants ?

Mon aveugle sombra dans la dépression. Loin de marcher, mon paralytique ne réussit même plus à chier et mourut en pleurant du sang, lui qui avait toujours été de bonne humeur. On commença à douter. Je leur expliquai que ma réincarnation était pour ainsi dire parfaite : j'avais tant désiré me rapprocher des êtres matériels que j'en avais perdu mes pouvoirs. Je m'enfonçais. Tout en essayant de rester poli, les plus indulgents me soupçonnèrent d'un trop-plein d'abnégation, qui frisait l'égoïsme. Quelques-uns commencèrent à murmurer que je venais probablement de l'Enfer. D'autres, que je venais d'un peuple issu du ciel mais inconnu et dégénéré. Ils m'observaient de près quand le Sage du village, craignant la contagion, exigea qu'on me mette en quarantaine. Sur son ordre, ils m'enchaînèrent sous un petit abri et me laissèrent là en observation, se contentant de me jeter parfois les restes de leurs repas.

Deux ans passèrent. J'étais devenu poilu et repoussant, ballonné de malnutrition et sale, quand un Gnonw féru de sciences naturelles comprit enfin et prouva à la population estomaquée que j'étais une hyène dégénérée et mutante originaire des stratosphères. On vota de m'attacher sous le grenier à patates : je chasserais les lézards et autres pestes. Comme j'avais ce que je méritais, imposteur que je suis ! Les enfants me lançaient des ordures pour tester leur courage. Les filles, aiguillonnées par la curiosité, arrivaient parfois à surmonter leur frayeur et leur dégoût et venaient me voir. Évitant de me toucher, elles se tenaient à distance pour m'exciter avec des poses lascives, et riaient follement quand n'en pouvant plus, je me branlais avec furie, sous les yeux attentifs de mon Naturaliste Gnonw qui prenait des notes.

« *Il a cessé de parler depuis deux semaines, et même les filles qui viennent l'emmerder le laissent à présent indifférent. Un certain cheminement se ferait-il dans cette âme tortueuse ? La grâce du Ciel se serait-elle montrée à cet être dont personne ne veut, prouvant sa miséricorde infinie ?* » écrivit-il un matin de sa belle calligraphie.

On s'étonnait en effet dans les villages lacustres. Depuis quelques jours, je restais immobile et serein, quasi rayonnant sous mon grenier : on me trouvait presque touchant ! J'avais même essayé de me raser avec des tessons de silex pour plaire à mes hôtes et leur donner un spectacle moins infect ! Tailladé, lacéré, sanglant, étais-je en train de comprendre enfin le bon sens ? Allais-je enfin m'excuser à la tribu indulgente afin d'obtenir le pardon ? Allais-je faire un retour sur moi-même et comprendre que je l'avais bien cherché, que j'étais coupable de fausse représentation, que j'avais plongé tout le monde dans une tristesse sans borne après avoir profité sans vergogne des avantages marginaux normalement strictement réservés aux réels êtres de Lumière en récompense de leur abnégation ? Ah ! lecteur : avoir profité de l'ouverture, j'aurais probablement été libéré immédiatement, ils auraient passé l'éponge après m'avoir classé dans une nouvelle catégorie, et on serait allé ensemble à la cascade. Mais je suis un orgueilleux et c'était tout le contraire qui se passait dans ma tête : tout en souriant gracieusement à mes hôtes attendris, je les imaginais en friture en me disant que si certains, comme moi, finissent par jouer au sauveur pour se la couler douce, ils ne sont pas plus fautifs que ceux qui n'arrêtent pas d'en espérer un pour se faire racheter à n'en plus finir, et attaché à mon pilier de bois, dévoré par les insectes, délaissé des femmes, je me consacrais aux projets de vengeance les plus sales, aux ruses les plus vicieuses. Après mûre réflexion, j'eus soudain l'idée la plus simple qui soit : ne sont-elles pas les meilleures ? L'alcool ! Ils ne le connaissaient pas ! Miracle ! Lecteur, me vois-tu devenir mauvais ? Je jouissais d'avance. Ils avaient le profil, et leur pureté de merde n'avait jamais été mise à l'épreuve, pas plus que leur endurance. Que valaient-ils ? Probablement pas un clou. Lecteur, me vois-tu ? Je récupérais encore mon lamentable destin par une nouvelle théorie valorisante mettant en relief la bassesse humaine. Enfin, après m'être débarrassé de toute trace de mauvaise conscience, je rassemblai assez de fruits pour les faire fermenter et offrir un coup au village. Ma première création était d'une force stupéfiante. Je l'offris un matin encore fumante à un groupe de planteurs : le premier verre bu, ils se mirent à danser puis à se battre avec acharnement, avant de s'endormir en ronflant et en se tenant par le cou, et l'un d'entre eux se tua même en sautant du mauvais surplomb dans le bassin à anguilles. Le lendemain, nullement rebutés par le décès de leur ami, ils revinrent à l'aurore avec quelques copines et la bande s'envoya en l'air avec furie. J'avais gagné, on me porta de nouveau en triomphe, mais en titubant cette fois : « Vive les philtres d'Ivresse sidérale ! Vive le vendangeur venu d'ailleurs ! » criaient-ils à présent à mon approche, afin que je leur en fasse bouillir d'autres marmites. Quelques jours plus tard, j'étais le chef de la tribu. Raconterai-je mon plaisir quand je leur enseignai les classiques : « Prendre un verre de bière mon minou », « Quand Marie la grosse truie s'était bourrée d'whisky », « Il est des nôtres, il a bu son verre comme les autres », « Enweille enweille la ptite-tite-tite ». Ah ! les heures de plaisir, où je travaillais les harmonies et les canons avec la tribu !

L'addiction des Gnonws fut fulgurante : croulant bientôt sous la demande, je me fis construire une belle usine où je gardais précieusement secrètes les lois de la distillation et de la fermentation. Le Schnaps du Nouveau Monde fit fureur. La Pomme d'Adam le suivit de près, mais sans jamais le déloger, malgré mes efforts. J'augmentais les prix, ils me suppliaient. Comme ma revanche était douce ! J'avais des colliers d'or, des piscines, des vérandas, des concubines par dizaines, des amis empressés. Avais-je décidé de les soumettre ? Se glissait-il un peu de sadisme dans mon air goguenard et mon sourire ravageur, tandis que je payais des tournées générales ? N'écrivis-je pas dans mes mémoires de cette époque : « *Faire connaître au Paradis son premier péché est la base de toute négociation ultérieure. Il faudra être circonspect quant aux doses administrées, car le choc pourrait être brutal entre l'idée qu'on se fait de soi et ce qu'on est quand vient l'épreuve de l'ivresse, qu'elle vienne de l'alcool, des drogues, de l'argent ou de la gloire.* »

Très peu d'années plus tard, les filles se chamaillaient continuellement, les garçons s'entre-tuaient pour les plus jolies, les vieillards refusaient de mourir et gardaient le fric sous l'oreiller malgré les passages à tabac des familles, les pères ivres morts battaient leurs enfants et leurs femmes. Baignés dans les vapeurs, les nouveau-nés commencèrent à être moins beaux. Le premier Gnonw chétif et laid naquit : élevé dans les cris, souffreteux et battu par ses familles d'accueil, Hortense Ier parvint difficile-ment à l'adolescence et se mit à créer des rassem-blements implorant le ciel et un Sauveur Soleil. Les Gnonws accouraient en masse à ses sermons. Élu Cardinal de Feu, il inventa vite la monogamie et le cache-fesses. Je redoublai d'ardeur et rétorquai par la Vodka spirituelle à base de datura stramoine qui le tint en échec quelque temps. Mais il était coriace : il inventa l'abstinence et l'analyse psycho-logique des patterns, découvrit que les complexes étaient à la base des problèmes humains. Obéissant à une implacable logique, il imposa de suite le masque-voile aux sujets trop mignon(ne)s, instaura une politique de défiguration des filles infidèles, dessina son premier prototype de coupe-clitoris, et me déclara enfin la guerre. Horreur ! Caché dans les containers de vodka grâce à mon scaphandre de caoutchouc, je pus de justesse m'échapper par les canalisations géantes de bambou qui transvasaient le jus de fruit d'un bassin à l'autre (Pour induire en erreur les espions industriels, le réseau était compliqué et parcourait la vallée de long en large, faisant croire que c'était le mouvement du jus qui lui donnait sa teneur en alcool. Lecteur, un truc : détourner l'attention !), pendant que ses disciples surentraînés, musclés de discipline et de privations, incorruptibles, envahissaient mes forteresses.

La victoire d'Hortense fut écrasante : en proie au delirium tremens et privés de boisson à coups de désintoxications cruelles, mes soldats vaincus faisaient peine à voir, obligés de baiser les pieds du cardinal Hortense pour être épargnés, se tordant de douleur et de honte ! Comme j'avais erré ! Avant de partir, pris par un remords cuisant, je décidai que je devais essayer quelque chose pour sauver les Gnonws de l'affreuse bigoterie et réparer ma faute. Que penserait Hortense Ier du cocktail Molotov ? On verrait bien ! Et après avoir bombardé ses casernes-monastères, je m'élançai le cœur léger dans les montagnes, retrouvant rapidement la caverne d'où j'étais arrivé, quarante ans plus tôt. L'entrée de la cheminée était encore facile d'accès, malgré les taillis qui avaient poussé. Avant de pénétrer à l'intérieur, je jetai un dernier regard sur cette plaine qui avait été mon Éden, histoire de savoir si mes troupes avaient profité de la diversion de mes explosions pour reprendre le pouvoir. Honte sur Massoud al-Rachid : un immense incendie faisait rage, alimenté par mon réseau de tuyaux remplis d'alcool, et partout où l'œil pouvait aller, ce n'étaient à présent que flammes et cris de douleur. Les avais-je exterminés ? Je m'enfuis sans demander mon reste.

Deuxième partie

LE NOUVEAU MONDE

Était-ce possible ? J'étais parti depuis quarante ans. J'avais commencé le voyage dix ans plus tôt, à trente-sept ans. Cela m'en faisait quatre-vingt-sept. J'en paraissais encore trente-cinq. Je ne vieillissais donc pas ? Était-ce mon beau complet, légèrement usé mais encore plus somptueux de ces plis mordorés que le temps avait sculptés, qui me donnait cette exceptionnelle longévité ? Était-ce quelque chose que j'avais mangé ? Une génétique particulière ? Ma quête incessante de la vérité ? Lecteur, le dirai-je ? Parfois, l'idée me passait par la tête que je méritais ma santé incroyable grâce à mes qualités morales : moi, Massoud al-Rachid, je suis comme un virus de la grippe qui se prendrait pour le choléra.

Mais quoiqu'il me faille admettre que mon état était critique, j'aimerais dire que j'étais quand même un peu moins suffisant qu'avant : l'expérience Gnonw m'avait-elle fait prendre un peu de maturité ? Mon échec était limpide, ma veulerie établie, mais au lieu de me traîner dans la boue en me tapant sur la tête et en criant pour qu'on me remarque, je filais doux, je me taisais avec modestie en y réfléchissant cette fois. Est-ce parce que je me crus à ce moment arrivé à la sagesse et à l'humilité que Dieu me fit vivre encore de si nombreuses épreuves ?

HUITIÈME CHAPITRE

Où est découverte la longévité du héros quand il revient
dans la civilisation et où il se met en mauvaise posture

Le monde moderne. Comme il avait changé, en
quarante ans ! À présent, de l'Australie au Vietnam,
du Gabon à la Terre de Feu, chaque foyer était muni
de sa connexion fibreuse à la Centrale d'ordinateurs,
et possédait son agenda-téléphone-télévision, outil
que l'ancêtre du Grand Timonier, feu le duc William
de la Gaytes, avait baptisé le « petit compagnon
personnel ». Comment décrire ce calme parfait,
cette certitude en allant à la gare ou à l'aéroport,
cette assurance quant au climat des destinations
vacances, cette émulation par les sports, ces conversations éprouvées et correctes sur l'écologie et la
dépollution de l'homme de demain ?

C'est en passant devant une agence de voyage
que je m'aperçus du changement : où donc étaient
les affiches montrant les anciens peuples bariolés
des voyages de ma jeunesse ? Issus des colonies de
1800, avaient-ils finalement disparu, à la suite des
maladies et famines continuelles qui avaient marqué
l'ère barbare ? En effet, et malgré les efforts de la

Croix-Rouge et de la Banque Mondiale, les rares foncés ou bridés qui étaient restés pâlissaient rapidement dans la reproduction blanche. Moi ? Ça passait encore, mais j'étais devenu pittoresque. La guerre du pétrole finie, on avait créé l'Unité Nominale, monnaie unique et virtuelle. La dernière étape vers la parfaite sécurité sociale allait bientôt être franchie : au moment où je débarquai dans la capitale, on venait d'inventer l'identité incluse sous forme de micro-émetteur-virus intramusculaire. Presque impossible à détecter, la sphère minuscule permettrait de recenser chaque habitant de la Terre et de le suivre à la trace. Elle pouvait aussi instiller des petites doses de venin microbien afin de neutraliser les citoyens trop récalcitrants, en cas de besoin. On aboutit à un consensus, et la loi fut adoptée en vue de l'inoculation massive, qui suivit ensuite. Ah ! lecteur, comme le bon temps était loin ! Impossible de garder secrets ses déplacements, ni de contrevenir à quelque loi sans se mettre à tousser et à se gratter frénétiquement. Je volai un jour une chemise coûteuse dans un magasin, juste pour voir : on m'envoya plié en deux par les démangeaisons à l'hôpital, puis chez un psychologue bienveillant. Mon vol avait-il été un appel au secours ou un geste d'adolescent intrépide ? Force me fut bientôt de reconnaître que j'étais de mauvaise foi. Je reprochais au Nouveau Monde son confort ? Qu'avais-je fait, moi, sinon rechercher continuellement le minimum d'effort et la belle vie quand je n'étais pas en train de me taper des jeûnes-saunas-amaigrissants dans les déserts en me pensant évolué et plein de renoncement ? Je devais cesser de m'énerver, de jouer à l'aventurier, je faisais de la complaisance, je mentais. Pour me réinsérer, je décidai de m'intéresser à la nouvelle culture. Pourquoi pas le cinéma ? Comme il avait changé : les anciennes histoires de meurtre pour héritage, les films policiers des temps classiques où les assassins couraient sans être détectés par les radars, les vieilles histoires d'amour déstabilisantes qui avaient remis en question maints plans de carrière devenant hermétiques, on avait dû passer à d'autres thèmes. Les longs métrages racontaient à présent des ascensions sociales : *Stupeur et volonté*, histoire d'un jeune cadre moyen devenu cadre supérieur après avoir redressé un léger laisser-aller au gym, nuisible à la première impression. Ou bien *La pente*, le parcours d'un accordéoniste désuet qui obtient des contrats de publicité après s'être enfin décidé à faire du ski, et rencontre son premier client dans un salon relax. Ennuyeux ? Oui, parfois, cependant on doit dire que certains auteurs savaient malgré tout entretenir le suspense. Mais je suis formel : les chefs-d'œuvre de cette époque restent pour moi les émissions-réalité, qui évitaient le moralisme d'État, bienveillant mais un peu fatigant, dans le domaine des sciences de la fiction. L'inéluctable ne venant plus que par l'accident, on filmait les urgences des hôpitaux. À huit heures du soir, à la télé, on pouvait voir les dernières blessures du jour en dînant. Je me rappellerai toujours cet écrasé dont l'anus avait rejoint le nez, qui fut le sujet d'un mois entier. Lecteur, tu as raté quelque chose : on ne pouvait revenir en arrière et ramener le rectum à sa place au risque de tuer le patient. Le climax fut atteint quand un groupe de chercheurs trouva la solution en réorientant une partie du rectum pour le faire péter par les oreilles. Réussite ! Mais le malade, quand il se réveilla, découragé par le résultat, se suicida en se défenestrant juste au-dessus de la serre qui agrémentait l'arrière-cour du service de physiothérapie. « Je vous ai bien eus ! » susurra-t-il de sa bouche douteuse avant de mourir déchiqueté parmi les morceaux de verre.

Tout allait bien ? Je n'en étais pas si sûr. Instinctivement, je sentais qu'informer la population ou les autorités de ma longévité ne serait pas une bonne idée et je filais doux, déménageant le plus souvent possible. Cinquante ans passèrent sans que je fusse inquiété : j'avais des maîtresses discrètes, j'essayais d'être normal et de faire de l'aérobic avec mes voisins, je me mariais quand il le fallait absolument, et puis je divorçais avant que ma différence d'âge ne se fasse remarquer, et je repartais. Mais un jour, alertés par les ordinateurs centraux d'une aberration à mon sujet, des inspecteurs commencèrent à m'interroger de plus en plus souvent, pour vérifier. Avec le temps, je développai une technique infaillible : criant de désagrément, j'en appelais au trauma de la victime, j'exigeais le retour de Macintosh, j'affirmais haut et fort que l'ordinateur national avait des virus, les accusant de non-convivialité, et soudain, en titubant de fatigue, je jouais au choc émotionnel et menaçais de monter un mouvement collectif pour exiger des dommages et intérêts. Efficace : les enquêteurs s'excusaient, on changeait mon micro-émetteur et le dossier était classé.

Mais je ne pus me cacher toujours : un ancien voisin en croisière prémortuaire, qui venait d'acheter son troisième fauteuil roulant me reconnut un matin de son hublot parmi un groupe de surfers au Dahomey-Sud. Jaloux de ma joie de vivre et de ma copine magnifique, il me signala aux autorités et insista : le gouvernement gardait-il secret quelque médicament permettant de prolonger la vie ? Cachait-il la vérité à la population, de peur de devoir allonger les régimes de rentes ? Représentant de la Majorité Aînée auprès des gouvernements centraux, mon délateur avait du poids : les enquêteurs bafoués se décidèrent enfin à m'imposer des prises de sang, malgré ma poursuite de quatorze milliards d'Unités. Les tests de datation au carbone quatorze prouvèrent ma bicentenarité hors de tout doute : on allait m'étudier, que je le veuille ou non. Les droits de l'Homme ? Afin de clarifier ma situation légale, on déclara que mon esprit continuerait à m'appartenir, ainsi que l'usage de mon corps, mais que le copyright de ma longévité resterait du domaine public. À partir de là, toutes les semaines mon esprit et mon corps durent se présenter au centre de recherches. Pour me faire taire, on me versa un salaire substantiel, mais pas trop : n'étais-je pas que le manutentionnaire de ce trésor national ?

Allais-je être celui qui permettrait à l'homme de se débarrasser du fléau de la mort ? Le Grand Timonier, qui abordait les quatre-vingt-dix-sept ans, son quarantième triple pontage, sa cinquième greffe du cœur, son trentième poumon droit, sa nouvelle vésicule de téflon, son dixième nettoyage de prostate, était le principal intéressé à mon étude. Est-il nécessaire de dire qu'il comptait sur moi pour sauver sa peau ? J'appris plus tard qu'il avait tout d'abord espéré faire transplanter son cerveau dans mon enveloppe corporelle, mais que ses médecins s'y étaient opposés : il n'était pas prouvé que mon cerveau ne jouait pas un rôle dans le fait de ma longévité enviable. Un soir, il eut une autre attaque, qui le laissa presque paralysé, malgré une greffe immédiate de moelle épinière. Incapable de jouir de ses concubines, il devint hystérique et on vota une loi qui m'obligea à être étudié à plein temps. On m'installa dans les montagnes, au milieu d'une gigantesque ville-usine destinée à ma seule étude. Autour de ma maison, isolée parmi les montagnes des Basses-Alpes, les laboratoires, bureaux, demeures des docteurs et chercheurs, et bassins de cultures protéiques s'étendaient à perte de vue. Après les tests psychologiques du matin, où je rassemblais des cubes et faisais des associations, j'étais passé aux rayons X, puis aux ultrasons. On m'injecta de l'iode, puis on me laissa dans un gros tube radioactif. On me prit deux, puis trois prises de sang par jour. Des ponctions lombaires suivirent les prélèvements de peau. Aucune particularité ne fut décelable. On me mit dans un centrifugeur, sous vide. Ah, mes yeux sortant de leurs orbites, comme ceux d'une morue que l'on ramène des hauts fonds !

Le Timonier s'impatientait. Craignant pour leur emploi, les médecins transportaient maintenant mon sang à la chaudière, en courant dans les couloirs, se lançant sur mes selles et mon urine comme des gardiens de but. Dans mon délire, j'entendais leurs cris : « Je sais ! J'ai trouvé ! Avec du citron !!! » « Non, donne-moi le seau de sang, moi j'ai trouvé. » Batailles. « Enculé ! Donne-moi ça !!! » Dans la bousculade, ils échappaient le seau à terre... et c'est qui qui va avoir sa petite prise de sang ? Ils étaient trop nerveux, vraiment nuls. Le Timonier changea de tactique : fini le temps des récompenses, voici venu celui des punitions. On réduisit les congés, on mit en doute les anciennetés, les régimes d'épargne ! Fous de peur, les chercheurs commencèrent à me tabasser pour me faire parler au cas où je cacherais quelque chose, un truc.

Le Grand Timonier, dans sa chaise aéropropulsée, venait me voir le plus souvent qu'il le pouvait et faisait l'innocent. Moi, idiot, comme d'habitude quand des gens importants m'accordent de l'attention, je ne faisais aucune relation entre mes malheurs et son état, et je continuais niaisement à le croire honnête et à me plaindre auprès de lui des mauvais traitements que je subissais. Il limogeait hypocritement les fautifs en faisant l'indigné, et me conseillait ensuite sur les poursuites à entreprendre, me référant même à ses avocats. Ah ! vanité, qui me fait donner ma confiance à quiconque a de l'éducation : les nouveaux docteurs qu'il m'envoyait étaient invariablement pires que les précédents, et je ne voyais toujours pas l'astuce ! Je me rappellerai toujours cette dernière soirée que je passai en la compagnie du maître du monde et de ses magistrats : comme je nous trouvais intelligents, comme j'étais certain d'avoir atteint la classe, au milieu de mes nonagénaires !

Paul Jaquelin le magnifique commença : « Ah, mon cher Massoud, les progrès technologiques actuels, si flamboyants soient-ils, n'ont pas fait avancer la condition humaine du plus petit chouia. La mort, quoique légèrement retardée ou atténuée par nos technologies, frappe encore sans pitié. Et est-ce que c'est à cause de l'absence d'imprévu qu'on assiste à une recrudescence du suicide, est-ce la mort du rêve, de l'Île inconnue qui crée ce désespoir ? »

Alexis Xenopoulos prit le relais : « Vous simplifiez beaucoup. Il faut approfondirrrrr. L'inatttttendu a disparu il est vrai. Le défi est rare, voire imposssssible. Seuls subsistent les challenges personnels des sports danhanhanhangereux, qui donnent t-t-t-t-ant de travail aux hôpi-hôpi-hôpitaux, bondés de connconnards qui exixixixixgent de se faire réparer comme des automobibiles, et s'étotontotontonnent de ne pas être comme neufs après une chute de mille mètrtrtrtrtrtrtrtres et poursuivent l'État continuellement à la moindre séquehèhèhèlle. Enfin, je m'égarrrr – da vous ! » dit-il en se levant, droit comme un piquet en faisant le salut militaire.

Le marguillier centenaire et cul de jatte se porta au secours d'Alexis : « Je comprends votre idée : la disparition du rêve n'est que la pointe de l'iceberg d'un mal plus fondamental, voulez-vous dire ? Quand plus rien ne détourne l'Homme de la conscience claire et totale de l'absurdité de l'existence, que se passe-t- il ? Ah ! Massoud ! Vous rendez-vous compte de votre chance inouïe ? Votre usure à vous n'est que de quelques heures par an. Est-ce une mutation liée à la facilité que permettent les nouvelles technologies ? La vie étant devenue plus aisée, votre organisme aurait reculé sa propre mort ? Ah ! cher cas : votre vie doit vous sembler bien morne ici, mais vous êtes bien le seul espoir qui subsiste ! »

« Vous avez raison ! » m'écriai-je enflammé. Je me préparais à une critique habile du monde moderne afin de prouver mon intelligence, mais Dieu fut miséricordieux et le repas fut interrompu par les infirmières, qui vinrent me chercher pour mes électrocardiogrammes, et je serrai niaisement les mains de mes hôtes en prenant congé comme le vrai vermisseau que je suis, les assurant de ma coopération. Ils furent enchantés de me voir en de si bonnes dispositions, et furent transportés de leur côté dans les atriums par des géantes russes, qui leur donnaient le bain. Mais après mes tests et mon petit supplément, trop heureux de ma prestigieuse soirée et n'étant pas fatigué, j'allai me promener dans la campagne environnante. Contournant les baraquements, je passais par hasard sous les fenêtres du grand sauna où les nonagénaires recevaient leur bain quand je décidai d'écouter leurs conversations, afin d'entendre leurs éloges à mon propos. Quelle claque, lecteur ! Comme Dieu me remit à ma place et me montra ce qu'il en coûte de ramper à ce point ! Le Grand Timonier suggérait de me manger au plus vite, avant que mon talent soit gâté, on ne savait jamais. Le trésorier proposait de le faire à la pleine lune. Le premier ministre parlait des coutumes ancestrales papoues, et insistait sur le fait que je devais être consommé après de nombreuses tortures raffinées, le goût de la douleur et de l'humiliation étant d'après les écrits païens des plus subtils, et donnant au cœur du supplicié des vertus de remède infaillible. Le Timonier objectait que si le cœur conservait selon les Sioux les qualités d'âme du supplicié, les sauvages d'Amazonie donnaient sans doute aucun la moelle comme premier réservoir de la force vitale. On décréta unanimement que mes performances physiques et mon extrême longévité étaient supérieurs à mes traits moraux, et on résolut de commencer par l'osso bucco. Le premier ministre se lança finalement dans la lecture à haute voix de la recette qu'il pensait la plus appropriée.

LE BLANC EN CROÛTE AU FOUR

(Grand livre de Recettes de Pfaofai, cuisinier du roi, Nouvelle-Guinée, 1802*)*

« *On l'enterre jusqu'au cou, dans un trou de pierres et de tisons, dans lequel on verse des fourmis qui, pour se cacher du feu, lui rentrent sous la peau et le mettent dans tous ses états, procurant un certain croquant salé à la chair. Il cuit lentement, comme une patate. Il faut attendre qu'une croûte se forme. À la toute fin seulement, on recouvre la tête, qui cuit à l'étouffée.* »

Les vieux frémissaient de joie, poussaient des grognements de primitifs : « On va enfin bouffer cet enfoiré ! » « Non mais vous l'avez vu ! » « Et comment il m'a sasasalué, en jouant au sauveveveeur, plein de pitié et de condesdesdesdescendance ! »

« Et comment il se laisse tester en se croyant important ! » « Il mangerait sa merde pour faire l'intéressant ! » criaient les vieillards, enragés. Je pleurais de dépit : on m'avait ainsi menti ? Ah ! imbécile de moi, qui fais toujours l'étonné ! Comment pouvais-je encore me penser si pur ? Qu'avaient-ils fait de mal que je n'avais pas fait moi-même au centuple ? Ne me rappelais-je plus les Gnonws, Serena, Carla ? Et bien qu'on m'eût torturé depuis des mois, n'avais-je pas encore eu la vanité de faire le beau, le martyr endurant et paisible de la science ? Allais-je enfin saisir, ce coup-ci ? Non : je jouais encore l'enfance trahie, l'innocence perdue, et je pleurais doucement, l'œil au vent et plein de pardon pour moi-même, adossé contre les baraquements, comme une belle actrice qui se fait quitter par un cow-boy. Mais je m'arrête : le lecteur se demande sans doute comment je peux me dénoncer comme je le fais. N'avais-je pas l'opportunité de m'en tenir à la sobre description des mouvements de l'humanité que ma longévité me donna de voir, afin de m'entraîner à l'altruisme et à la modestie ? Est-ce pour me racheter ou pour me vanter toujours et encore que je fais l'étalage de la connaissance de mes handicaps ? Ah ! lecteur, quel marchand de tapis de sa propre âme que Massoud al-Rachid ! Comme il s'appesantit ! On dirait qu'il cherche la rédemption comme on espère un applaudissement !

Gémissant donc de fierté bafouée tel un lombric utilisé par un pêcheur mais qui se pince d'avoir été choisi dans le pot, je pris la fuite durant la nuit. Je savais où se trouvait mon micro-émetteur sous-cutané, grâce aux rayons X journaliers, et pus l'extraire avec un scalpel. Vite, je traversai le massif nord agrippé sous le camion de skieurs, puis je pus rejoindre la mer Rouge et enfin le sud de l'Inde, en me cachant quelque temps parmi les jeunesses tibétaines en stage. Traqué de partout, montré en train d'égorger des vieillards, imprimé sur des camisoles *Wanted !*, je commençais à désespérer de devoir me déguiser continuellement en grand-mère énergique adepte de triathlon quand on annonça enfin la mort du Grand Timonier. Le nouveau, Maximilien de la Gaytes, petit-neveu du précédent et encore jeune, n'avait pas d'intérêt pour l'immortalité, comme on va le voir plus tard : bien au contraire. Une fois au pouvoir, il fit retirer les mandats à mon sujet, déclara que son prédécesseur avait commis un crime envers la personne, m'offrit des trilliards de dédommagements, assura qu'il répondrait de ma sécurité et de ma vie devant la population et annonça ensuite, pour la gouverne des aînés mécontents, que les échantillons qu'on m'avait prélevés étaient suffisants pour continuer l'étude de ma profitable génétique. C'était un fait qu'il y avait déjà l'équivalent de quatre-vingts tonnes de copies conformes de chacun de mes organes clonés, que j'avais eu l'occasion de voir. Les plus saisissantes furent sans doute les répliques de ma tête : sans expression, elles regardaient passer les médecins toute la journée en agitant les oreilles.

Maximilien était sincère. Rassuré, je me présentai à son palais pour recevoir mes millions, et nous devînmes amis. Que de sorties en boîte, que d'admiratrices : on plantait des oliviers en mon honneur, j'étais l'Homme Éternel, Mathusalem, le Yéti, l'Immortel, la Momie, on érigeait des bustes de bronze à mon effigie, je donnais des conférences de presse sur mon expérience, des conseils judicieux de recettes de longévité, parlais d'exigence, d'intégrité et d'excellence dans les forums, et provoquais assez de rage pour que certains me surnomment le Gourou. Allais-je apprendre à me taire ?

NEUVIÈME CHAPITRE

Où le maître du monde en a marre du calme
plat et se paie une petite catastrophe

Maximilien de la Gaytes, sixième du nom, Président directeur général et actionnaire majoritaire du monde, avait décidé de ne s'intéresser qu'aux temps barbares : sa famille tournée obsessionnellement vers le progrès technologique, obnubilée par le succès de l'ancêtre Bill, inventeur du réseau Organisateur, avait selon lui gâté irrémédiablement l'humanité en lui facilitant honteusement la vie. Où était l'aventure ? La nouvelle société humaine le déprimait. « Mon arrière-arrière-arrière-grand-oncle était un connard : il avait peur de la mort, il chiait dans son froc, c'est pourquoi il avait inventé l'ordinateur et la multiconnexion, la grosse raie sale. Il voulait tout prévoir, tout calculer d'avance ! Pourtant, quoi de plus beau que le hasard, la peur, la souffrance ! » criait-il, martial. Lui se passionnait pour Gengis Khan, Lénine, Raspoutine, Napoléon, Vercingétorix. Il se faisait donner le fouet le week-end : « Il faut que je m'entraîne : je veux être aussi puissant et râblé que mes ancêtres. Fi de tous ces maîtres du monde bedonnants : j'aurai des abdominaux de fer et des cicatrices, comme Richard Cœur de Lion ! » Je tentais de lui faire entendre raison : le passé était le passé. Je louais le progrès en évoquant les terribles souffrances du monde ancien, les guerres, les famines. « De la petite bière ! hurlait-il, de la petite bière face à l'ennui terrible de l'homme moderne ! »

Pour lui faire plaisir, mais aussi le décourager, je lui racontais longuement et avec force détails la vie ancienne : les famines, les tsunamis, les peuples belligérants, l'impossibilité de gestion en l'absence de plan d'ensemble et de gouvernement central, les crimes impunis, les épidémies, les intoxications massives, en prenant soin de bien décrire les douleurs des victimes. Malgré mes efforts il s'enfonçait, amer : « Que restera-t-il de moi après mon règne ? s'écriait-il à tout propos. Que dira-t-on de Maximilien de la Gaytes, dans cent ans, hein ? Probablement : il administra avec brio les égouts grandissants des populations de la calotte polaire ? » Toujours aussi fayot, je proposais des nouvelles missions dans l'espace : pourquoi ne pas envoyer des cosmonautes sur Jupiter, afin de mettre le monde en haleine ? Qui sait si l'on n'y découvrirait pas quelque sculpture inexplicable pouvant marquer son règne d'un sceau indélébile ? « Ah ! qu'est-ce que tu peux être CHIANT ! » rageait-il. Non, pour lui, rien ne pouvait sauver l'humanité qu'un beau et grand cataclysme. Et sur ce sujet il était une véritable bibliothèque, étudiant avec passion chaque document se rapportant aux grands désastres : les sept plaies d'Égypte le fascinaient, le Vésuve lui faisait pousser des petits cris, l'Apocalypse était un mythe, une idylle inaccessible. Malheureusement, les désastres d'aujourd'hui ainsi que la plus petite pluie étaient prévus des mois à l'avance à la seconde près. Maximilien criait de désespoir : « Que va-t-il arriver, si plus rien n'arrive ? » En rajoutait-il ? Non pas. Maximilien était un vrai guerrier, ce n'était pas de la frime et il ne se contenterait pas d'un petit vol à l'étalage pour protester : un soir, les centres nerveux des renseignements centraux notèrent l'imminence d'un raz de marée sur Moscou. Ça y était ! En cachette, heureux comme un enfant à Noël, il implanta des fausses données dans la centrale informatique mondiale en utilisant son accès privilégié aux codes, et attendit ses cadeaux : Boum ! Cent trente-cinq millions de gens furent pris par surprise, dont quinze millions furent tués et pourrirent à l'air libre, faisant revivre la peste antique et ses fumigations inutiles. Les trente millions de blessés et d'affamés restants s'entretuaient pour des bouts de tibias, les groupes de vieilles pleureuses vêtues de noir fouillaient les cadavres en s'arrachant les cheveux, les enfants se faisaient vendre aux enchères par leurs parents indifférents. Désespérés, les renseignements centraux russes recensèrent deux mille crimes à la seconde puis s'éteignirent, faute de mémoire.

Russie noire : alcools et drogues de fabrication artisanale, salles de danse immenses aménagées dans les hangars désaffectés où les étrangers redécouvraient la joie païenne antique, bagarres sanglantes et passages à tabac adolescents, c'était le grand chelem. Maximilien m'entraînait dans des tripots toujours plus mal famés pour se guérir de son ennui. Increvable, il ne dormait jamais, passant son temps à chercher des bouibouis toujours plus glauques, adhérant aux modes les plus violentes. Incapable de se contenter du tatouage, après avoir fait immortaliser l'image de sa bite sanglante sur sa figure, il décida de se mettre au piercing extrême : son corps se truffa de clous et d'anneaux mais il se lassa encore. « Je tripe scarification ! » découvrit-il un soir de septembre, tanné des petites ponctions, et il se fit marquer les fesses au rond de poêle puis sculpter l'abdomen au ciseau à bois et percer le zob avec un clou chauffé au rouge, puis pendre à des hameçons brûlants par les couilles en criant de joie et en exigeant la torche à souder. Comme il rayonnait ! Et quelle lumière intérieure pendant qu'il me parla ensuite de son expérience ! « Il y en a qui n'ont pas de but dans la vie. Je les plains : ils ont un vide intérieur. Là, je crois que je vais me faire imprimer un crucifix au fer rouge dans le rectum : tu crois que ça serait bien ? » L'expérience fut inoubliable, mais trois mois plus tard, Maximilien recommença à s'emmerder malgré tout. Est-ce par éternelle insatisfaction qu'il se lança dans ce qui suit, ou par inclination naturelle ? Il y avait du nouveau : un parti d'opposition venait de faire son apparition avec à sa tête un jeune rescapé du raz de marée qui, né dans les décombres d'une famille lépreuse et prostituée, avait dû se nourrir de rats jusqu'à l'âge de sept ans avant d'être découvert par les souteneurs des bordels des ministres pédophiles chez qui il allait servir et tuer ensuite à coups de perceuse électrique quatre-cent-trente-deux de ses clients réguliers, pour devenir à l'âge de douze ans celui qu'on avait nommé le Prince Noir, le proxénète le plus cruel des quartiers sud de Moscou. Son vrai nom était Fiodor Vassiliev Alexivanovitch. « Tu massacres un client par semaine et tu peux continuer à travailler le cœur léger, comme si tu donnais l'extrême-onction. Mais pas plus qu'un par semaine, sinon ce n'est pas rentable... », expliquait-il à ses jeunes prostitué(e)s en training. Fier de son ascension qu'il ne devait à personne, le prince Fiodor Vassiliev Alexivanovitch reprochait au gouvernement central son protectionnisme laxiste, démagogique. Le Parti Anarchie se donnait pour mission de combattre la dégénérescence humaine : « Retour aux inégalités de base ! Arrêt des services médicaux gratuits ! Retour à la sélection naturelle, à la volonté brutale, à la saine corruption, arrêt de l'aide aux idiots et aux dégénérés, fin des pensions de vieillesse, retour à la frontière ancestrale et créatrice, fin du protectionnisme, retour aux privilèges ! » criait le Prince Noir dans ses discours électoraux. Maximilien l'admirait avec passion : « Il a trouvé la solution, lui. Il ne fait pas dans l'amateurisme ! Comme il est vrai et beau ! Moi, je n'ai fait que m'amuser comme un enfant, avec mon raz de marée. Lui, il affronte franchement l'ennui, il assume totalement le côté obscur de son âme ! » Quelque temps plus tard, Maximilien se mit fréquemment à disparaître, durant des week-ends complets, boudant même ses raves favoris. De retour de ses escapades, il réapparaissait fourbu, et partait dans la lune comme une adolescente qui a un amant, refusant de répondre à mes questions. Ma surprise, lecteur, quand j'appris qu'il fréquentait le prince, dont il était amoureux et finançait le parti ! Comme il m'avait joué ! Et comme je me félicitais d'avoir su retenir tout commentaire désobligeant sur le prince, obéissant à un instinct sûr ! Mais ce qui m'étonnait surtout, c'était sa nouvelle orientation sexuelle : était-il certain de son choix ? Il se fâcha terriblement quand je lui en parlai : « Moi, gay ? Comme tu peux être primitif : figure-toi que moi, c'est l'âme des gens qui m'attire ! Vassili est quelqu'un de vrai, voilà ce qui te surprend ! Il dit ce qu'il pense et c'est ça, moi, qui provoque mon désir ! Je revendique le droit d'aimer ! Oui, d'aimer, si ce mot évoque encore quelque chose à tes oreilles. Baiser, on s'en fout, Massoud, baiser, c'est à la portée de n'importe quel macaque. Je ne te l'ai jamais dit, mais si tu savais comme je te méprise, toi et ta sexualité sans spiritualité ! Han, Han, Massoud le singe, voilà qui t'en bouche un trou ! » hurlait-il en m'assénant des coups de son nouveau sac Gucci que le prince lui avait offert.

Je m'inquiétais : le prince était-il sérieux ou abusait-il de mon ami, jouant à l'amoureux ? Je fus rassuré : Fiodor demanda finalement Maximilien en mariage, au bout de six mois de fréquentations passionnées. Fou de joie, Maximilien se mit à chantonner continuellement. Toujours fredonnant, il abdiqua de sa présidence et rejoignit les rangs du Parti Anarchie pour devenir son ministre de l'Économie : il saurait lever des impôts écrasants. Le mariage fut mémorable : cent mille chars de fleurs tirés par des chevaux suivirent le cortège. Auraient-ils un enfant ? Ils décuplèrent les études pour développer l'enfantement masculin. « L'accouchement féminin date du féminisme et des années 50 ! Avant ça, les hommes faisaient autant d'enfants que les femmes ! » criaient les amoureux, avec la mauvaise foi que donne la passion. Enfin, après s'être fait implanter dans l'estomac un ovule de sa sœur fécondé in vitro par le prince et avoir accouché d'un gros bébé-éprouvette de sept livres, Maximilien décida d'anéantir le travail de ses ancêtres qui étaient responsables de toute sa jeunesse ennuyeuse et ratée. On ôta les émetteurs microscopiques, et la population qui n'avait jamais connu une telle liberté se lança dans un vandalisme effréné, et ce furent de grandes expéditions et de grandes fêtes. Est-ce le Prince Noir ou Maximilien qui eut soudain l'idée de remettre la monnaie de métal traditionnelle sur le marché ? Sur le côté face des nouvelles pièces d'or de dix fiodors, on les voyait se tenant par le cou et se faisant sucer par une fille avec des sourires camarades. « Ça te dérange ? » disait la devise inscrite au-dessous du relief. On remarquait alors à leurs pieds les cadavres des gens que ça avait dérangés. L'argent virtuel disparu, les temps barbares revinrent sur Terre, faits de banditisme de grand chemin et de piraterie, de meurtres crapuleux de vieillards et d'éventrements de matelas. Moi ? Ce que je faisais pendant ce temps ? Le lecteur croit-il que j'essayais de conseiller le prince et le roi, mettant à profit mes expériences riches, mes voyages interpellants pour leur rendre la raison ? Il m'imagine m'interposant afin de protéger les filles du viol ou de la lapidation, ou organisant des camps de réfugiés et distribuant aux malades et aux faibles des médicaments achetés avec mes milliards de profits boursiers, ou faisant des grèves de la faim. Je le remercie de sa confiance continuelle, mais non : j'essayais seulement de tirer mon épingle du jeu et je faisais mettre des systèmes d'alarme pour protéger mes caves à vin.

Là, j'avais des soucis : le prince était jaloux. Malade de savoir si j'avais couché avec le roi avant qu'il ne le rencontre, il essayait constamment de nous piéger en nous questionnant séparément sur nos déplacements passés, engageant parfois des agents secrets. J'essayais de m'éloigner du couple mais le roi Maximilien, pour narguer le prince et faire son émancipé, n'arrêtait pas de m'inviter à dîner et ça finissait invariablement sur le sujet. Que d'engueulades, que de faïences Ming cassées, que de verreries byzantines réduites en miettes, que de statues de marbre décapitées au cours de ces repas terribles ! Malheureusement ou heureusement, nous n'avions rien à nous reprocher et le prince entrait dans des colères plus ridicules encore, à chaque nouveau service ! Qu'il est difficile d'être jaloux : tout en craignant d'avoir été trompé, on espère l'être pour cesser de rougir de nous-mêmes, de ce visage hideux et soupçonneux qui est le nôtre ! Et on en rajoute ! Lecteur, méfie-toi des jaloux, c'est moi, Massoud, qui te le dis, et si cet écrit t'évite un jour de sombrer dans ce défaut aussi immonde que les culs les plus souillés des chauves-souris à guano, je mourrai heureux.

Mais foin de cette analyse facile, retournons à notre histoire. Pendant que les maîtres de la Terre s'engueulaient, mille guerres civiles allaient bon train. Trop occupés à leur querelle passionnée s'ils n'étaient pas en train d'inaugurer un nouveau club, le roi et le prince ne virent donc rien venir et lorsque le grand Otto 1er apparut, il était déjà trop tard. Géant du nord de deux mètres et demi de haut et de circonférence, Otto 1er n'aimait pas la contradiction. Hétérosexuel convaincu, empereur de la nouvelle Norvège unifiée, après s'être percé le crâne de bord en bord avec un clou galvanisé de cinquante centimètres et s'être réveillé sans autre séquelle apparente qu'un léger trou de mémoire, il décida qu'il était promis à de grandes destinées et conquit tour à tour la Russie, l'Estonie, l'Afrique, l'Asie, avant de devenir empereur du monde. Après avoir fiché les têtes des ministres du Parti Anarchie à des pieux effilés sur le chemin du supplice, qu'il avait coupées personnellement à l'aide de ses célèbres sécateurs rouillés (il chérissait le jardinage), il empala le prince et le roi sodomites sur la place publique, aussi aisément que l'on enfile des pétoncles sur une brochette de fruits de mer. Les têtes pourrirent, dévorées par les corbeaux, et Otto organisa l'Émondage.

Fier de sa conquête et idéaliste, le Jardinier prenait la culture au sérieux : tout entier tourné vers la race pure, il en rafraîchit le concept, et perfectionna la méthode. Contribuant au développement de la Souche Saine, après avoir éliminé les chétifs et les idiots, il établit une « *échelle de multitude acceptable et de frisage maximum* » (Otto 1er, *Mémoire du hâle critique* suivi de *Standards sommaires* et *Entailles et boutures*) et avant que les peuples aient eu le temps de s'en rendre compte, cinq milliards d'individus jugés inadéquats furent enterrés vivants dans des grands champs de compost. La souche native devint enfin parfaitement pure : on faisait de l'exercice obligatoire le matin dans les parcs au son des chants grégoriens, et ceux et celles qui tombaient d'épuisement n'étaient pas ramassés.

Pour s'amuser et égayer sa population tout en agrémentant l'assainissement du bulbe originel, Otto inventa la Récolte, une sorte de rugby extrême. La Récolte se joue ainsi : de quatre à sept équipes, pas davantage pour garder au jeu sa clarté essentielle, car il est rare d'avoir moins de dix mille soldats dans chaque camp, sont réparties sur le stade circulaire divisé en autant de territoires, comme des pointes de tarte. On doit conquérir le plus de terres voisines possible afin d'imposer sa génétique à l'univers pour obtenir la victoire, l'inoculation génétique des conquis se faisant par la possession physique et morale des civils. Au début de la partie et au centre de son territoire, chaque équipe possède une petite forteresse, nommée la Ville, constituée de maisons de bois dans lesquelles seront placés les civils, armés de balais, de rouleaux à pâte, de couteaux de cuisine et de fourches, moins inoffensives qu'il n'y paraît. Les civils sont au nombre de sept par maison.

Atteindre la forteresse, brûler les maisons et imposer sa lignée aux vaincus, voilà tout l'art de la Récolte. Après les heures de travail, par centaines de milliers, la population s'entassait dans les stades géants pour regarder les cultivateurs se trucider. Est-il nécessaire de dire que les rôles des civils étaient tenus par des prisonniers politiques, communément nommés *Peste* ou *Vermine* ? La foule en liesse pouvait les voir se barricader tant bien que mal, puis se débattre comme des damnés sur les grands écrans, pendant qu'ils se faisaient redresser par leurs Tuteurs.

Moi ? Le lecteur se doute que ma tête était mise à prix. Heureusement, j'avais vu venir le coup : pourchassé par les Émondeurs d'Otto dans tous les coins du globe, j'avais réussi de justesse à me rendre dans les cavernes des troglodytes du mont Bé, dont j'avais depuis longtemps pris soin avec Maximilien d'effacer toute référence sur les cartes du monde afin de créer un abri sûr en cas de besoin. Cachées dans les pics escarpés du désert de Chine, les crevasses profondes et scellées de rochers rétractables formaient un immense complexe parfaitement équipé, dont les frigos souterrains et les alimentations en oxygène auraient pu faire tenir quarante personnes durant un siècle.

« Imagine, m'avait dit Maximilien pendant que nous dirigions la construction de l'abri, juste avant qu'il rencontre le prince, si la fin du monde arrive un jour, on pourra y assister en regardant la télé ! » Maximilien… Comme il me manquait ! Quel compagnon agréable ç'avait été : drôle, toujours énergique et sans complaisance ! Je lui parlais parfois en pensée : s'il avait pu ne jamais rencontrer Fiodor et son influence néfaste, s'il avait pu se contenter de la Russie, s'il s'était calmé, et si cet immonde prince avait pu se préparer à la guerre au lieu de faire de l'espionnage amoureux continuel, ah ! si, si… Ah, lecteur, tu sais peut être combien on peut s'ennuyer dans une caverne, même des mieux équipées et des plus confortables. Je parlais tout seul, sombrais dans la mélancolie, le regret. Mais une nuit, en rêve, une vision de Maximilien vêtu d'une grande robe blanche apparut dans ma chambre : « Massoud : tu me déçois : la chance que tu as de voir tout ceci ! En plus tu as la télé, une bibliothèque, des milliers de films et des projecteurs, tout ce qu'il faut pour t'occuper ! Te rends-tu compte du privilège que tu as de pouvoir encore développer tes talents, ta culture et voir du pays ? Ne pense plus au passé : c'est terminé à présent. Il te faut préparer ton avenir ! Et n'avais-tu pas toujours voulu devenir un artiste ? C'est l'occasion ou jamais ! »

Il avait raison : il fallait me ressaisir. J'étudiai Descartes, Dostoïevsky, Platon, Machiavel, Picasso, Molière, Vinci, Michel-Ange... Que de pensées : j'engouffrais tout. Ah, lecteur : évoluais-je ? Rendu à Nietzsche et Calder je me sentis enfin prêt et me mis sérieusement au travail. Motivé par ma vision, je commençai par une production de peintures abstraites dont je me lassai bientôt : « Le dessin d'après nature sera toujours un appel profond chez tout artiste sérieux, quel qu'il soit. Il te faut faire du fusain et pratiquer le modèle vivant ! » me dicta Maximilien au cours de sa deuxième apparition. Je m'essayai à copier des œuvres de maîtres, mais le mouvement ne s'apprend pas dans les livres, lecteur, il me fallait trouver des modèles. Fraîchement peroxydé, pâli par le maquillage et masqué de lunettes de soleil gigantesques, je repris courage et me rendis prudemment dans la ville d'à côté afin de dénicher des jeunes femmes musclées et intrépides pour prendre la pose. L'aventure de coucher avec l'ennemi public numéro un leur parut-elle excitante ? Je fus bientôt l'amant de plusieurs magnifiques dévergondées qui venaient me visiter tour à tour en cachette. Les femmes sont fortes : je ne fus pas trahi, ni inquiété, et bien que je doive préciser qu'elles n'hésitaient jamais à m'engueuler comme du poisson pourri ni à me frapper, elles ne me dénoncèrent pas à la police d'Otto, même dans les pires moments. La statuaire classique m'interpellant, je remplaçai bientôt le fusain par l'argile et le marbre. Des monuments représentant des belles combattantes en train de se battre au sabre meublèrent bientôt mes cavernes, côtoyant des scènes d'amour passionnées. « Le laid peut être beau, le joli, jamais ! » m'enseigna un jour Maximilien, un soir d'orage. « Il te faut t'attarder au message, pas seulement à l'esthétique des sujets. Étudie Delacroix. Pas de mièvrerie ! » Je m'appliquai à moins de joliesse, à plus de force dans les sentiments. Ferai-je une parenthèse sur les tourments des beaux-arts ? N'est-ce pas inutile ? J'aurais probablement duré longtemps à m'engueuler et me rouler à terre avec mes copines comme Rodin et Camille Claudel parmi mes sculptures monumentales et à me prendre pour un grand artiste si le destin n'avait pas décidé de sévir encore une fois, loué soit-il. Et c'est au moment où Otto, qui se fatiguait des roux, venait de voter le décret obligeant toute personne ayant un léger reflet cuivré dans le cheveu à se présenter aux Guichets Culturels que le destin de l'humanité fut scellé : douze vieilles se battaient pour un morceau de chien, un autre soir d'orage, sur un champ de bataille de Récolte où venaient d'être trucidés deux cents civils à la chevelure légèrement orangée quand soudain Maximilien m'apparut encore dans son élan de feu. Se tournant vers moi, je vis qu'il avait perdu son sourire, remplacé à présent par un air triste et patient ! Les yeux baignés de larmes, il me dit soudain : « Elles arrivent, Massoud ! Mon pauvre Massoud ! Maintenant il est trop tard ! Elles arrivent ! »

Que voulait-il dire ? Je frémissais d'inquiétude, je tremblais. J'avais raison d'avoir peur : elles arrivèrent !

DIXIÈME CHAPITRE

*Où le héros découvre son ultime plan de carrière et
perd tous ses bénéfices marginaux*

Une espèce doit-elle toujours rencontrer son
législateur, et celui-ci se présente-t-il toujours au
moment exact où sa nécessité est indiscutable ?
Le mulot est-il le résultat du désir de l'aigle, ou
le contraire ? La marmotte crée-t-elle l'épervier ?
L'homme, comme le crapaud australien, doit-il
espérer l'arrivée d'un prédateur-sauveur qui le
libèrera de la surpopulation et de la décrépitude
morale ? Les Hyènes de l'espace furent-elles créées
pour l'empêcher de s'autodétruire et de perdre
toute dignité ? Si ce n'est pas le cas, alors pourquoi
exactement à ce moment-là ?

« Quand le disciple est prêt, arrive le maître»,
disent les Écrits. Plus que prêts nous étions
pour recevoir les Maîtres : de longues guerres et
sélections avaient perfectionné et renforci la race,
nous étions en parfaite condition pour nourrir
leurs populations supérieures. Leur attaque surprise
fut foudroyante : elles débarquèrent sur Terre
dans de longs vaisseaux sinistres, suréquipées,

teigneuses, indestructibles, et hommes et femmes furent vaincus en deux jours, parqués comme du bétail dans les étables étroites qui menaient aux abattoirs. Aucun fuyard n'échappa aux battues : même ceux qui s'ensevelissaient dans des tonneaux de merde étaient débusqués. Comme elles étaient dures, comme elles étaient indiscutablement les plus fortes, nos prédatrices, plus dangereuses que mille Ottos, que cent mille Princes Noirs ; et comme personne ne put se vanter d'être capable de leur tenir tête ! Mais que dis-je ? Certains hommes furent courageux au delà de tout, et je vis des frères se battre pour leurs sœurs, des femmes défendre leurs amis et donner leur vie dans des attaques déséspérées, des chiens garder les portes d'entrée et mourir sans broncher.

Et moi, lecteur ? Tu te demandes ce qui advint de moi ? Terrorisé, je dus regarder seul le massacre sur mes écrans, les Hyènes ayant choisi d'arriver au moment où mes modèles avaient décidé d'un commun accord de me laisser sécher dans mon abri pour mettre fin à une longue tension qui sévissait depuis des mois. Raconterai-je mes sueurs froides quand je voyais des équipes de Hyènes s'approcher de l'entrée de ma cachette, que je tenais à présent continuellement et rigoureuse-ment scellée, afin que n'en sorte aucune, même la plus microscopique, molécule de moi-même ? Est-ce pour ne pas me sentir trop médiocre ou pour ne plus sentir ma peur que je me mis soudain à dessiner compulsivement tout ce que je voyais et me lançai dans cette production effrénée de statues morbides où des Hyènes tuaient et dépeçaient des hommes et des femmes criant de terreur ? Mes modèles essayèrent-elles de venir me rejoindre ? Si c'est le cas, aucune n'y parvint. Si : un jour je vis sur mes écrans de surveillance l'une d'entre elles se précipiter dans le détroit qui menait à l'entrée secrète nord de ma caverne, pourchassée par trois Hyènes méthodiques. Raconterai-je comment je restai figé de peur, immobile devant le bouton qui commandait l'ouverture de la porte en faux rocher pendant qu'elle la martelait du poing, hurlant mon nom maudit devant la caméra de surveillance déguisée en bouteille abandonnée ? Raconterai-je comment elle fut abattue ?

Enfin, après avoir trucidé le troupeau humain dont elles placèrent les quartiers dans leurs immenses congélateurs lumineux, les Hyènes replièrent bagage. La brillance des vaisseaux atteignit la lueur du soleil, puis s'éteignit quelques semaines plus tard. Après leur départ, j'attendis encore quelques jours dans l'abri, pour être sûr, puis je sortis précautionneusement, m'attendant à tout instant à voir une équipe de Hyènes prêtes à bondir. Mais non : les immensités montagneuses de granit se taisaient, définitivement désertes. Avaient-elles laissé quand même quelques spécimens humains pour repeupler ? Je marchai plus avant, profitant enfin du soleil que je n'avais vu que trop rarement en face depuis des mois, contournant les rochers. Pas âme qui vive. Rien. Dans la ville d'à côté, non plus, personne : un nettoyage parfait, des rues vides, des portes claquantes, aucun survivant. Le soir vint, je fis demi-tour. En rentrant dans ma cachette, j'ouvris grand le toit de faux rocher qui formait un dôme au-dessus de l'abri. Dans le ciel encore clair, les étoiles commençaient d'apparaître. Tout autour se dressaient mes immenses statues montrant des Hyènes foulant aux pieds des femmes et des hommes terrorisés. Ah ! lecteur, comme j'étais seul, parmi mes monuments de pierre !

Mais je sursautai soudain : un petit vaisseau noir s'était approché dans une lueur bleutée et atterrit juste à côté, bien avant que j'aie eu le temps de refermer le toit. Avais-je la berlue ? Affairées, des Hyènes en salopette de travail sortirent du vaisseau étrange, et sans me prêter la moindre attention, entourèrent mes statues. Après avoir palabré entre elles pendant quelques minutes, elles commencèrent à les ranger dans des boîtes, pour ensuite les charger une à une précautionneusement dans le vaisseau. Je restais à l'écart, immobile, terrorisé, essayant de me faire le plus modeste possible, mais soudain s'approcha de moi celle qui semblait être la cheftaine du groupe. M'ayant salué, elle m'expliqua que mon œuvre avait été remarquée et appréciée, et qu'on avait jugé bon que je continue mon travail.

« En passant, dit-elle, – quand toutes les pièces furent embarquées – il faudrait que vous me fassiez une sculpture en pied me montrant en train de transporter quelque gibier humain. Il y a aussi mon beau-frère, le général des vaisseaux de stockage, qui voudrait qu'on lui fasse un buste. » Elle plongea la main dans sa valise, en tira quelques clichés. « Je vous donne les photos de moi et de lui en action. Vous pourrez me les faire assez vite ? Six mois ? Bon, d'accord. Mais faites attention : ne me vieillissez pas trop, c'est pour mettre dans le jardin de ma maison de campagne. J'aimerais mieux quatre mois, quand même… Bon, disons cinq ? Ah oui : nous vous avons choisi quelques femelles pour prendre la pose. Elles sont bien musclées, comme celles que vous aimez d'habitude. Ne vous en faites pas si elles ne font pas l'affaire : on les reprendra et on vous en donnera des nouvelles quand on viendra chercher les œuvres. Bon, nous partons, à présent. Non, ne vous dérangez pas : nous connaissons le chemin. *Artist at work !*» Le vaisseau repartit. Juste à côté tremblaient, dans une cage, les modèles qu'elles m'avaient laissées. Ah, lecteur : avec quelle terreur je me mis au travail ! Avec quelle énergie j'exécutai mes commandes, noir destin que le mien !

COMPLAINTE FINALE

*Où Massoud al-Rachid s'incline humblement
devant le lecteur et Dieu, en le remerciant de ses bienfaits
et leçons judicieuses*

Ô lecteur ! Dieu présente-t-il à l'homme des
épreuves judicieuses afin de lui révéler sa nature et
la parfaire, ou est-ce cette même nature qui s'élance
un jour d'elle-même vers ses déterminations ?
Sommes-nous l'artisan de notre vie ?

Était-ce afin de me traîner dans la boue et pour
me punir de toutes les fois que je l'avais maudit que
le destin m'avait donné ce complet, cette longévité
impossible, et ces voyages ? Était-ce parce que j'avais
trop voulu être intéressant et parfait que j'étais
devenu si ridiculement vain ?

Était-ce par désœuvrement que je m'étais mis à
trouver l'humanité si maussade ? Était-ce finalement
pour l'édification de tous que je fus condamné par
Dieu à vivre éternellement ma vacuité, afin que le
contraste entre Sa Grandeur et ma petitesse se fasse
éclatant ?

TABLE

Première Partie
LE MONDE

Chapitre premier	15
Deuxième chapitre	21
Troisième chapitre	27
Quatrième chapitre	37
Cinquième chapitre	43
Sixième chapitre	47
Septième chapitre	51

Deuxième Partie
LE NOUVEAU MONDE

Huitième chapitre	67
Neuvième chapitre	81
Dixième chapitre	95
Complainte finale	101

OUVRAGE RÉALISÉ PAR
LUC JACQUES, TYPOGRAPHE
ACHEVÉ D'IMPRIMER
EN SEPTEMBRE 2005
SUR LES PRESSES DES
IMPRIMERIES TRANSCONTINENTAL
POUR LE COMPTE
DE LEMÉAC ÉDITEUR
MONTRÉAL

DÉPÔT LÉGAL
1ʳᵉ ÉDITION : 3ᵉ TRIMESTRE 2005
(ÉD. 01 / IMP. 01)